FITCHBURG PUBLIC LIBRARY
P9-EGL-829

JULIO CORTÁZAR

EL EXAMEN

EDITORIAL SUDAMERICANA
SUDAMERICANA / PLANETA
BUENOS AIRES

Diseño de tapa: Mario Blanco

Primera edición: marzo de 1986
Cuarta edición: diciembre de 1989

Edición realizada en coedición con
Sudamericana / Planeta (Editores) S.A., 1986.
Humberto I 545, Buenos Aires
Hecho el depósito que previene la ley 11.723
ISBN 950-07-0331-9
Impreso en la Argentina

NOTA

Escribí *El Examen* a mediados de 1950, en un Buenos Aires donde la imaginación poco tenía que agregar a la historia para obtener los resultados que verá el lector.

Como la publicación del libro era entonces imposible, sólo lo leyeron algunos amigos. Más adelante y desde muy lejos supe que esos mismos amigos habían creído ver en ciertos episodios una premonición de acontecimientos que ilustraron nuestros anales en 1952 y 53. No me sentí feliz por haber acertado a esas quinielas necrológicas y edilicias. En el fondo era demasiado fácil: el futuro argentino se obstina de tal manera en calcarse sobre el presente que los ejercicios de anticipación carecen de todo mérito.

Publico hoy este viejo relato porque irremediablemente me gusta su libre lenguaje, su fábula sin moraleja, su melancolía porteña, y también porque la pesadilla de donde nació sigue despierta y anda por las calles.

J. C.

SEÑAL DE VIDA

Precedida por un intento fallido, *El examen* es la primera novela que Julio Cortázar considera satisfactoria; constituye —y el título parece corroborarlo— la prueba de admisión a la grey de los cultores de este dilatado género. Redactada en Buenos Aires alrededor de 1950, Julio la presenta sin éxito al concurso literario de la editorial Losada. Entretando emprende la elaboración de *Los premios*, que aparece en 1960. Poco tiempo después Cortázar entrega a Sudamericana el manuscrito de *Rayuela*, novela magistral, la gran removedora de la literatura latinoamericana, cuya primera edición data de 1963. *Rayuela* consuma las virtualidades de sus dos predecesoras, pone en juego toda la potencia novelesca de su autor. Posee una envergadura tal que desmejora y descoloca a *El examen*. Julio no quiere publicar este inédito a destiempo y lo destina a una edición póstuma. Así lo hace saber a su mujer, Aurora Bernárdez, a quien previene: "Cuando me muera, estoy seguro de que este libro resultará interesante para mis lectores."

Es verdad. Su público hallará no sólo interés en la lectura de *El examen*, también vivo placer. Se trata de un divertimento chispeante, donde el juego y el humor impelen la narración: imperan. Clausurada la obra de Julio, la muerte reacomoda los signos, los vuelve complementarios en relación con la figura integral, inscripta por todas las marcas de una vida. Esta es una, dotada de significado propio y correlativo con el conjunto. A partir de ahora, *El examen* se incorpora a la obra para ocupar su lugar, el que le corresponda, como taracea de un múltiple mosaico, como pedazo de vidrio del gran calidoscopio o como tramo de un laberinto de recorridos innúmeros.

En tanto novela, configura un mundo de representación a la vez autónomo y reflejo. Patraña simbólica, trasunta y trasmuta la experiencia directa de cierta realidad. No sin razón, Julio consideraba *El examen* metáfora premonitoria del descalabro nacional. Escrita antes de la muerte de Eva Perón, trasunta un período convulso y carnavalesco, de turbamulta, de idolatrías tumultuosas y de rituales populistas. *El examen* es la respuesta literaria al estímulo de una realidad hostil. Preanuncia fantasiosa, grotescamente el terrible colapso que vendrá después.

Saúl Yurkievich

I

—Il y a terriblement d'années, je m'en allais chasser le gibier d'eau dans les marais de l'Ouest —et comme il n'y avait pas alors de chemins de fer dans le pays où il me fallait voyager, je prenais la diligence...

"Que te vaya bien, y que caces muchas perdices", pensó Clara, apartándose de la entrada del aula. La voz del Lector dejó de oírse; estupendo lo bien aislados que estaban los salones de la Casa, bastaba retroceder un par de metros para reingresar en el silencio levemente zumbador de la galería. Caminó hacia el lado de las escaleras y se detuvo indecisa en el cruce de otro corredor. Desde ahí se oía distintamente a los Lectores de la sección A, novela inglesa moderna. Pero era difícil que Juan estuviera en uno de esos salones. "Lo malo es que con él nunca se sabe", se dijo Clara. Entonces quiso ir a ver, apretó con rabia la carpeta de apuntes y tomó a la izquierda, lo mismo daba un lado que otro. *"Was there a husband?" "Yes. Husband died of anthrax." "Anthrax?" "Yes, there were a lot of cheap chaving brushes on the market just then—"*

Nada de malo pararse un segundo para ver si Juan

"some of them infected. There was a regular scandal about it." "Convenient", suggested Poirot. Pero no estaba. Las siete y cuarenta, y Juan la había citado a las siete y media. El gran sonso. Estaría metido en alguna de las aulas, mezclado con los parásitos de la Casa, escuchando sin oír. Otras veces se encontraban en la planta baja, al lado de la escalera, pero a lo mejor a Juan

le había dado por subir al primer piso. "Qué sonso. A menos que se le haya hecho tarde, a menos que..." Otras veces era ella la que llegaba tarde. "Vamos hasta la otra galería, seguro que anda metido por ahí",

dans les mélodies nous l'avons vu, les emprunts et les échanges s'effectuent très souvent par-

y nada, no estaba." "Este Lector tiene buena voz", se dijo Clara, parándose cerca de la puerta. La sala estaba muy iluminada y se veía el cartelito con el título del libro: *Le Livre Des Chansons, ou Introduction à la Chanson Populaire Française (Henri Davenson). Capítulo II. Lector: Sr. Roberto Chaves.* "Este debe ser el que leyó La Bruyère el año pasado", pensó Clara. Una voz liviana, sin énfasis, soportando bien el turno de cinco horas de lectura. Ahora el Lector hacía una pausa, dejaba caer un silencio como una cucharada de tapioca. Los oyentes sabían, por la duración del silencio, si se trataba de un punto y aparte o de una llamada al pie de página. "Una llamada", pensó Clara. El Lector leyó: "*Voir là-dessus la seconde partie de la thèse de C. Brouwer, Das Volklied in Deutschland, Frankreich...*" Buen Lector, uno de los mejores. "Yo no serviría, me distraigo, y después corro como un perro." Y los bostezos nerviosos al rato de leer en voz alta, se acordó de que en quinto grado la señorita Capello le hacía leer pasajes de *Marianela.* Todo iba tan bien las primeras páginas, después los bostezos, el lento ahogo que poco a poco le ganaba la garganta y la boca, la señorita Capello con su cara de ángel oyendo en éxtasis, la pausa forzada para contener el bostezo —le parecía sentirlo otra vez; lo transfería al Lector, lo lamentaba por él, pobre diablo—, y otra vez la lectura hasta el siguiente bostezo, no, con toda seguridad no serviría para la Casa. "Aquél es Juan", pensó. "Ahí viene tan tranquilo, en la luna como siempre."

Pero no era, sólo un muchacho parecido. Clara rabió y se fue al lado opuesto de la galería, donde no había lecturas y en cambio se olía el café de Ramiro. "Le pido una tacita a Ramiro para sacarme la rabia." Le molestaba haber confundido a Juan con otro. La gorda Herlick hubiera dicho: "¿Ves? Trampas de la *Gestalt*: dadas tres líneas, cerrar imaginariamente el cuadrado. Dado un cuerpo más bien flaco y un pelo castaño y una manera de caminar arrastrando un ocio porteño, ver a Juan". La *Gestalt* podía... Ramiro, Ramiro, qué bien me vendría una taza de su café, pero el café es para los Lectores y para el doctor Menta. Café y lecturas: la Casa. Y las ocho menos cuarto.

Dos chicas salieron casi corriendo de un aula. Cambiaban frases como picotazos, ni vieron a Clara en su apuro por llegar a la escalera. "Capaces de irse a escuchar otro capítulo de otro libro. Como si movieran el dial de la radio, de un tango a *Lohengrin*, al mercado a término, a las heladeras garantidas, a Ella Fitzgerald... La Casa debería prohibir ese libertinaje. De a uno en fondo, queridos oyentes, y a no prenderse de Stendhal hasta no acabar *Zogoibi*." Pero en la casa mandaba el doctor Menta, siervo de la cultura. Lea libros y se encontrará a sí mismo. Crea en la letra impresa, en la voz del Lector. Acepte el pan del espíritu. "Esas dos son capaces de subir para oírle a Menghi alguna novela rusa, o versos españoles tan bien dichos por la señorita Rodríguez. Tragan todo sin masticar, a la salida comen un sándwich en la cantina de la Casa para no perder tiempo, y se largan al cine o a un concierto. Son cultas, son unas ricuras. En mi vida he visto pedantería más al divino botón..." Porque hubiera sido inútil preguntarle a una de esas chicas qué pensaba de lo que ocurría en la ciudad, en las provincias, en el país, en el hemisferio, en la santa madre tierra. Informaciones, todas las que uno quisiera: Arquímedes, famoso matemático, Lorenzo de Médicis hijo de Giovanni, el gato con botas, encantador relato de Perrault, y así sucesivamente... Estaba otra vez en la primera galería. Algunas puertas cerradas, un zumbido de mangangá, el Lector. *Les Temps Modernes, N° 50, diciembre 1949. Lector, Sr. Osmán Caravazzi.* "Yo debería hacer la prueba de oír revistas", pensó Clara. "Puede ser divertido, primero un tema y después otro, como cine continuado: La lectura empieza cuando usted llega." Se sentía cansada, fue hasta donde la galería daba sobre el patio abierto. Y había estrellas y lámparas. Clara se sentó en uno de los fríos bancos, buscó su tableta de Dolca con avellanas. Desde una ventana de arriba llegaba una voz seca y clara. Moyano, o quizá el doctor Bergmann que había leído todo Balzac en tres años. A menos que fuera Bustamante... En el tercer piso estaría la doctora Wolff, gangosa con su Wolfgang gangoso Goethe; y la pequeña Mary Robbins, lectora de Nigel Balchin. Clara sintió que el chocolate la enternecía, ya no estaba enojada con su marido; a las ocho no le molestaron las campanadas del gran reloj de la esquina. En el fondo la culpa la tenía ella por venir a la Casa, porque a Juan maldito si le importaban las lecturas. En un tiempo en que resultaba difícil dictar cursos interesantes o pronunciar conferencias originales, la Casa servía para mantener caliente el pan del espíritu. Sic. Para lo que verdaderamente servía era para juntarse con algún amigo y charlar en voz baja, cumpliendo de paso el vistoso programa de trabajos prácticos combinado por el doctor Menta y el decano de la Facultad. "Pero claro, doctor, pero claro: la juventud es la juventud, no estudian nada en su casa. En cambio si usted les hace oír las obras, dichas por nuestros Lectores de primera categoría (cobraban sueldo de profesores, esas cornucopias), la letra con miel también entra, ¿no es cierto, doctor Menta? El doctor Menta... Pero si sigo reconstruyendo sus canalladas", pensó Clara, "acabaré por creer en la Casa." Prefirió morder a fondo la tableta de Dolca. Y al fin y al cabo la Casa no estaba tan mal; so pretexto de difundir la cultura universal el doctor Menta había acomodado a docenas de Lectores, pero los Lectores leían y las chicas escuchaban (sobre todo las chicas, siempre buenas alumnas y tan atentas al programa de trabajos prácticos), y algo quedaría de todo eso, aunque más no fuera Nigel Balchin.

—Mañana a la noche —explicó Juan—. El examen final. Sí, pero claro que vamos a almorzar. Y al concierto, seguro. El examen es a la noche, hay tiempo para todo.

Cuando colgó, rabiando por lo mal que había oído a su suegro y lo tarde que se le hacía, vio a Abel que entraba al bar por la puerta de Carlos Pellegrini. Abel estaba de azul, palidísimo y flaco, como de costumbre no miraba a nadie de frente y se movía a lo cangrejo, evitando más las caras que las mesas.

—Abelito —murmuró Juan, acodado al mostrador—. ¡Abelito!

Pero Abel se quedó en un rincón sin verlo o a lo mejor sin querer verlo, mirando la pared. Juan revolvió el café. Lo había pedido por costumbre, sin ganas de tomarlo. Nunca le había gustado telefonear desde un bar sin pedir antes alguna cosa. De espaldas, Abel parecía todavía más flaco, cargado de espaldas. Hacía tanto que no se veían, en otros tiempos Abelito no tenía ese traje azul. "Anda con plata", pensó Juan. En realidad lo más natural hubiera sido que Abelito y él se saludaran, aunque fuera desde lejos y sin darse la mano. Nunca se habían peleado, como para pelearse con Abel. Se acordó vagamente de las babosas que aparecían a veces en el cuarto de baño de su casa, cuando volvía tarde en sus tiempos de estudiante. Pobre Abelito, realmente era demasiado compararlo con... Tragó el café tibio y demasiado dulce, miró con cariño el paquete con la coliflor. Desde el primer momento había instalado el paquete sobre el mostrador, cerca del teléfono, para que no fueran a plantarle una mano o un codo encima. Ahora un rubio en mangas de camisa hablaba a gritos por teléfono. Juan miró una vez más a Abel que se había sentado en la otra punta del café, pagó y salió llevando con mucho cuidado el paquete.

Caminó por Cangallo, sorteando a los transeúntes apurados. Hacía calor, hacía gente. Los cafés de las esquinas estaban llenos. "Pero a esta hora, ¿qué carajo hacen todos estos tipos?", pensó Juan. "¿Qué vidas, qué muertes están incubando? Yo mismo, qué diablos tengo que hacer en la Casa. Más me hubiera valido toparlo a Abel, preguntarle por qué anda con la cara planchada..." Al verlo en el café, esa rápida sospecha de que quizá Abelito... Pero es que a nadie le gustaba Abelito; razón de más para encontrárselo en los cafés. Pobre Abel, tan solo, tan buscando algo.

"Si buscara de veras ya nos habría encontrado", pensó.

Cruzó Libertad, cruzó Talcahuano. La Casa tenía las luces extra de los jueves. "No se pierden un aula, meten seis mil escuchas en tandas de a mil. Cuánto lamenta Menta no tener el Kavanagh..." Y en su despacho estaría, de azul oscuro o de negro, revisando expedientes, atendiendo a un público lleno de buenas intenciones, creemos que debería repetirse el curso de Dostoievsky, y el de Ricardo Güiraldes. Se pierde demasiado tiempo con las revistas centroamericanas. ¿Cuándo se abrirá la cinemateca? El doctor Menta lamenta, pero en el aula 31 tienen para seis semanas más con Pérez Galdós. "Nada fácil dirigir la Casa", pensó Juan. Subió los escalones de a dos y casi choca con el ñato Gómez que salía corriendo.

—Avisá si andás rajando de la policía.

—Peor que eso, me escapo de la gordita Maers —dijo el ñato—. Cada vez que me pesca se pone a explicarme Darwin y la conducta de los antropoides.

—Mi madre —dijo Juan.

—Y la suya, porque me habla de la familia y de una hermana que tiene en Ramos Mejía. Hasta luego. ¿Te va bien?

—Sí, me va bien. ¿Y vos?

—Yo estoy en Impuesto a los Réditos —dijo el ñato y se fue, lúgubre.

Juan cruzó la galería hasta el patio donde-con-seguridad-Clara-furiosa. Se le acercó por detrás, le hizo cosquillas.

—Odioso —dijo Clara, alcanzándole el final del Dolca.

—Olés a cumpleaños. Corréte para que me siente. Tenés el aire de la víctima, del sujeto de laboratorio. El doctor Menta lamenta.

—Asqueroso.

—Y me recibís con la gracia que asiste a las fuentes, a las colinas.

—Son las ocho y veinte.

—Sí, el tiempo ha seguido y nos ha pasado.

El tiempo, como un niño
que llevan de la mano
y que mira hacia atrás...

Este hai-kai lo escribí hace dos años, date una idea... Clara, en este paquete tengo un coliflor prodigioso.

—Cométela y si querés vomitálo. Además se dice la coliflor.

—No es para comerlo —explicó Juan—. Este coliflor es para llevar en un paquete y admirarlo de cuando en vez. Creo que el presente es un momento propicio para la admiración del coliflor. De modo que...

—Me gustaría más no verla —dijo Clara, orgullosa.

—Apenas un segundo, para que lo conozcas. Me costó uno noventa en el Mercado del Plata. No pude resistir a la hermosura, entré y me lo envolvieron. Era más hermoso que un primitivo flamenco y ya sabés que yo... Balconeá un poco...

—Es linda, la veo muy bien así, no la destapés del todo.

—Tiene algo de ojo de insecto multiplicado por miles —dijo Juan, pasando un dedo sobre la apretada superficie grisácea—. Fijáte que es una flor, enorme flor de la col, coliflor. Che, también tiene algo de cerebro vegetal. Oh, coliflor, ¿qué piensas?

—¿Por eso te retrasaste?

—Sí. También le telefoneé a tu papi que nos invita a almorzar mañana, y lo estuve mirando a Abel.

—Sabés perder el tiempo —dijo Clara—. Abel y papá... Prefiero la coliflor.

—Contaba además con tu perdón —dijo Juan—. Aparte de que estamos a tiempo de oírlo un rato a Moyano. Yo sé que a vos te gusta tanto la voz de Moyano. El gran acariciador acústico, el violador telefónico.

—Sonso.

—Pero si está bien así. El tipo lee con tal perfección que ya no interesa lo que lee. Y a mí me gustan las tres rubias que se sientan a bebérselo en la primera fila. El pobre, el galán superheterodino. Esperá que rehaga el paquete, me podrían estropear el coliseo, el colosal coliflor, el brillante colibriyo, el colifato.

De un salón de la izquierda, al principio de la galería, venía como una salmodia ahogada por las puertas de vidrio. "Leen a Balmes", pensó Clara, "o será Javier de Viana..." Una pareja llegaba corriendo, se separaron para leer los cartelitos en las puertas, cambiando señas iracundas. Zas, de cabeza en *Romance de Lobos*, lector Galiano Sifredi. Un chico de grandes anteojos leía aplicadamente el lema de la Casa, letras de oro en la pared,

L'art de la lecture doit laisser l'imagination de l'auditeur, sinon tout à fait libre, du moins pouvant croire à sa liberté.

Stendhal

(Pero nadie ignoraba que la frase era de Gide, y que se la habían vendido al doctor Menta como buena.)

"Inventar el ideario apócrifo", pensó Clara. "Hacerle decir a un prócer lo que debió decir y no dijo; ajustar la estúpida temporalidad, dar al César lo que debería ser del César pero que dijeron Federico II o Irigoyen..."

—Vamos —dijo Juan, tomándola del brazo—. Con tal que haya sillas.

A mitad de la escalera se pararon a examinar el busto de Caracalla. A Clara le gustaba el gesto dominador de las cejas, cerrándose sobre los ojos como puentes. Siempre lo acariciaba al pasar, deplorando la rajadura de la nariz que le daba un aire bellaco.

—Un día te va a plantar un mordisco en la mano. Caracalla era así.

—Los Césares no muerden. Y con ese nombre tan dulce, Caracalla, señor de los romanos.

—No es un nombre dulce —dijo Juan—. Restalla como los látigos de sus cocheros.

—Confundís con Calígula.

—No, ése suena a raíz amarga. Dos granos de calígula en un vaso de miel. O si no esto: El cielo está caligulado, ¿quién lo desencaligulará? Adiós, doctora Romero.

—Buenas noches, jóvenes —dijo la doctora Romero, bien agarrada del pasamanos.

—Movéte, Juan, Moyano habrá empezado a leer hace veinte minutos.

—Fuiste vos la que se paró a masturbar a ese pobre César.

—¿Qué querés? Se lo merece, es bueno conmigo. Nadie lo mira; él, que fue tan mirado.

—Pero Cara calla —dijo Juan—. Los romanos eran así. La doctora Romero está hecha un elefante. El elefante se da vuelta y contempla mi paquete. Ha olido el coliflor.

—Y vas a entrar con eso al aula —dijo Clara—. Harás ruido con el papel, molestarás a todo el mundo.

—Si pudiera ponerme el coliflor en el ojal, ¿eh? Capricho caracallesco. Te parece hermoso, ¿verdad? Un coliflor como ya no hay más.

—Es pasable. En casa las compran más grandes.

—Tu famosa casa —dijo Juan.

El Lector pausó su final de capítulo. Antes de iniciar el siguiente dio tiempo a las toses, la aparición de pañuelos, el rápido comentario. Como un pianista veterano, concedía unos segundos de relajación pero no demasiado, no se fuera ese fluido, esa sustancia tensa que pegaba su voz a la gente, su lectura a las atenciones no siempre fáciles.

Inclinándose levemente,

Moise prenait de l'âge, mais aussi de l'apparence. Les banquiers ses contemporains, qu'il avait dépassés à trente ans en influence, à quarante en fortune—

—Dejáme poner el paquete entre los dos —pidió Juan—. Esta gorda que tengo a la izquierda es muy capaz de aplastarme el coliflor.

—Dámela —dijo Clara, apretando el papel (que crujió, y Andrés Fava dio vuelta la cara y les hizo una mueca). En el por fin silencio, la voz del Lector caía sin esfuerzo de su discreta altura. Clara se acordó de golpe.

—¿Qué hacía?

—¿Quién?

—Abelito en el café.

—No sé. Buscarte, quizá.

—Ah. Pero me busca justamente donde no estoy.

—Por eso —dijo Juan— te busca.

—Cállense —rezongó Andrés—. Llegan ustedes y se va todo al diablo. Me desconcentro, ¿entendés? Me descerebro.

"Abelito", pensó Clara, mirando amistosamente el pescuezo un poco flaco de Andrés, detallando implacable la vulgar permanente que estropeaba a Stella, porque naturalmente Stella estaba sentada al lado de Andrés. "Sí, me busca justamente donde no estoy, donde nunca estuve. Pobre Abelito."

Stella metía despacio la mano en el bolsillo de Andrés. Despacio Stella metía la mano. Stella, en el bolsillo de Andrés, metía la mano despacio. Nada fácil meter una mano (ajena) en el bolsillo del pantalón de un hombre sentado. Andrés se hacía el sonso y la miraba de reojo. Lo gracioso era que el pañuelo estaba en el otro bolsillo.

—Me hacés cosquillas.

—Dame el pañuelo, voy a estornudar.

—Lloremos juntos, amor, pero no lo tengo.

—Sí, tenés un pañuelo.

—Sí tengo un pañuelo, pero no para vos.

—Odioso.

—Resfriada.

—Vos sos el que reclama silencio —le dijo Juan— y ahora armás un lío por un pañuelo. Más respeto por la cultura, che. Dejen oír.

—Eso —dijo un tipo gordo sentado a la derecha de Stella—. Más respeto.

—Seguro —dijo Juan—. Es lo que yo digo, señor: más respeto.

—Eso —dijo el tipo gordo.

Clara escuchaba a Eglantine:

Eglantine entrait, et redonnait subitement leur réalité, pour les yeux de Moise ému, au taupé et au Transvaal

y apreciaba en el Lector el arte de leer con un mínimo de gestos. "Yo revolearía las manos en todas direcciones", pensó Clara, "y Juan para leerme una noticia de *Crítica* es capaz de voltear la silla". Por completo distraída, incapaz de concentrarse en *Eglantine* (pensaba leerla por su cuenta, como tantos libros que después no leía) miró de nuevo la espalda de Andrés, el pelo de Stella, la cara indiferente del Lector. Se sorprendió explorando con los dedos el contenido del paquete, andando como un bicho por la fría superficie arrugada de la coliflor. Se llevó los dedos a la nariz: olía débilmente a afrecho húmedo, a tiempo lluvioso en una sala con piano y muebles enfundados, a *Para Ti* guardado.

Juan le permitió que cuidara el paquete y aprovechó la siguiente pausa en la lectura para sentarse a la izquierda de Andrés. Ahora podían hablar sin que el tipo gordo se molestara, porque el tipo gordo se había puesto a charlar con una señora de aire jubilado y vestido violeta.

—Un día se descubrirá el verdadero contenido de un bolsillo —dijo Juan— y se verá que tenía muy poco que ver con Charles Morgan.

—La introspección de la persona —dijo Andrés—. ¿Qué contás, che?

—Todo sigue igual, hermano. Usted, Stella, preciosa como de habitúdine.

—Usted siempre el mismo —dijo Stella—. Todos los amigos de Andrés son los mismos mentirosos y sinvergüenzas.

—Encanto de chica —dijo Juan a Andrés—. Tenés un

tesoro en tu casa, y seguro que no te das cuenta.

—No creas —dijo Andrés—. Soy el más indicado para apreciar los méritos y encantos de Stella. Ya he llenado varios cuadernos de elogios, y la posteridad sabrá un día lo que fue para mí la ciudad con Stella.

—¿Usted escribe, joven? —dijo Juan—. Qué notable, ¿no? Qué promisor.

—¿Y usted, mocito? ¿No escribe? Sería una tristeza, créame.

—Oh, quédese tranquilo, joven. Yo también escribo. Todos, todos escribimos en nuestro inteligente medio. En cuanto a usted, he oído rumores de que lleva una especie de diario que alguna vez me gustaría campanear, si es gustoso.

—Vos te lo habrás buscado —dijo Andrés—. Pero no es un diario sino un noctuario.

—¿Ustedes oyeron? —dijo Stella—. Parecía una sirena.

—Era una sirena —dijo Clara—. Y capaz de perforar las planchas aisladoras de nuestra santa Casa.

—La mitología acaba por coincidir con la ruda realidad —dijo Andrés—. Personalmente opino que podríamos irnos a charlar a algún sitio donde se puedan emplear a fondo las cuerdas vocales. Stella, adorada mía, vos no te enojarás si interrumpimos tu íntimo coloquio con la literatura.

—Pero si apenas faltan cinco minutos —se quejó Stella, que confundía fácilmente la asistencia con el aprovechamiento.

—Cinco minutos, una perfecta basura —dijo Andrés—. Aparte de que Clara no nos deja escuchar con ese ruido de papeles. Che, es increíble la devoción de la gente por las bellas letras. Una noche en el ringside del Luna Park me encontré a un tipo que entre pelea y pelea se leía dos paginitas de Jaspers.

—Yo no te fastidio con ningún ruido de papeles —dijo Clara—. Es éste que se compró una legumbre y me la pasa para que se la cuide.

—No quiero que lo machuquen —dijo Juan—. Como te

decía antes de que nos interrumpieran tan groseramente, no me desagradaría nada que me dieses a leer tus últimos ensayos. Tengo un elevado concepto de tu prosa, y además acato con humildad mi destino, consistente en leer las vidas y opiniones de los demás. Con Abelito era lo mismo. Y con Clara es peor: me informa por vía oral, de la fábrica al consumidor. Intimidad, date una idea. Su madre tenía cuatro dientes falsos, el hermano junta discos de Sinatra. ¿Para qué venimos a la Casa? Los mejores libros están afuera.

—Las nueve menos cinco —dijo Stella—. Hoy estuve de desatenta...

—No sufras, querida —dijo Andrés—. Cuando se acabe ésta te llevo a oír una de Vicki Baum.

—Malo. No ves que quiero practicar el francés. Me distraigo por culpa de ustedes. Qué cosa.

Clara le pasó la mano por el pelo, enternecida. "¿Se hace la idiota o es idiota?", pensó. "Pobre Andrés, pero él la eligió, parece." Stella tenía un pelo abundante que se dejaba invadir por los dedos y resbalaba suavecito. Le hacía como un halo a través del cual vio Clara al Lector que cerraba el libro y se levantaba. Las sillas se pusieron a crujir y a chirriar como si empezaran por su cuenta los comentarios a la lectura. "Lo que han de saber las pobres", pensó Clara. Un libro tras otro, semanas y semanas. La luz parpadeó dos veces, se apagó, volvió a encenderse: una de las ideas del doctor Menta para desalojar rápidamente la Casa a las nueve de la noche.

Andrés salió al lado de Clara y palpó el paquete.

—Buena hortaliza —dijo—. Vos estás un poco flaca.

—La vela de armas —dijo Clara—. Mañana examen final. ¿Para qué venís aquí, Andrés?

—Oh, en realidad la traigo a Stella para que practique fonética. A mí me da lo mismo estar o no estar. Me debe haber quedado la costumbre de cuanto estudiaba en la Facultad, y además siempre se encuentra a algún amigo. Ya ves esta noche, tuve suerte.

—La verdad es que nos vemos tan poco últimamente

—dijo Clara—. Qué vida idiota.

—No incurrás en pleonasmos. Pero la Casa es divertida y Stella se imagina que nos hace bien a los dos. Personalmente lo que más me gusta de la Casa son los sándwiches que se comen en la cantina. Los de paté sobre todo.

Clara lo miró de reojo. El habitual, el insólito, la escurridiza cucaracha anteojuda. Y él se rió de golpe, contento.

—¡Pobre, así que estás en capilla! ¿Y por qué perdés el tiempo aquí?

—Es mejor, ya no podemos estudiar más —dijo Juan—. Entrenamiento liviano la víspera de la pelea. Clara va a aprobar, es seguro. Yo, no sé. A veces te preguntan cada cosa...

—De verdad —dijo Stella—. Es como en las audiciones del shampú, yo me como las uñas, me dan unos nervios...

(Stella

"Señorita, ésta va por cincuenta pesos, Acepta?

"Yo...

"Muy simpático, señorita. Así me gustan las chicas valientes. Vamos a ver, señorita.

"Quien descubrió el principio de la flotabilidad de los cuerpos?")

—Hay que apelar a los trucos —dijo Andrés—. A pregunta estúpida respuesta absurda. Los tres tipos de la mesa se quedan pensando si les estás tomando el pelo o si realmente tenés algo en el mate. Como pasa el tiempo, se aburren y te aprueban.

—A vos te parece fácil —dijo Juan— pero un examen final no es macana. Sobre todo para mí, que pago las culpas de un autodidactismo más bien desorganizado, porque habría que ser idiota para creer que se aprende algo en las santas aulas argentinas.

—Clara debe saber —dijo Stella—. Seguro que estudió muchísimo.

—Todo el programa —dijo Clara, suspirando—. Pero es como un pozo: miro al fondo y no me veo más que a mí, con la cara lavada.

—Tiene un susto padre —explicó Juan—. Pero ella va a aprobar. Che, ¿adónde vas ahora?

—A ver pasar la noche, a tomar un vermú con Stella.

—Y con nosotros.

—Bueno.

—Y hablaremos de máscaras negras —dijo Clara.

—Y de Antonio Berni —dijo Stella que admiraba a Antonio Berni.

Andrés y Juan se quedaron atrás. Las chicas iban del brazo, mezcladas con la gente que salía de otras salas. Oyeron la voz de Lorenzo Wahrens que terminaba presuroso la lectura de un capítulo. Muchos oyentes se amontonaban en la puerta de la sala, salían en puntas de pie con aire un poco avergonzado.

—¡Pobre autor! —dijo Andrés—. Mirá cómo rajan antes de que acabe Wahrens.

—Qué querés, viejo, está leyendo *La Nouvelle Héloïse* —dijo Juan.

—De acuerdo, pero, ¿vos te explicás esta ansiedad por mandarse mudar? Lo mismo es en el cine; media hora de cola para entrar, y después les falta tiempo para salir disparando... Formas superficiales de la ansiedad, supongo. También supongo que en todas partes será igual. Lo digo porque aquí hay una cantidad de sociólogos improvisados que creen reconocer conductas específicamente argentinas donde sólo hay conductas específicas a secas. Todas las pavadas que se han dicho sobre nuestra soledad, nuestro escapismo...

—La verdad es que aquí la gente está siempre ansiosa —dijo Juan—. Lo malo es que los motivos de su ansiedad suelen ser tan importantes como la pava del mate (andá a ver si ya hirvió, apuráte, seguro que ya hirvió, Dios mío, uno no se puede descuidar ni un minuto...).

—Che, el mate es una cosa importante —dijo Andrés.

—O el miedo a perder el tren, aunque salga uno cada diez minutos. Mirá, una vez me aboné a un ciclo de cuartetos. A mi lado había una señora que en todos los conciertos se iba antes de que empezara el último movimiento del último cuarteto. Como ya éramos amigos, la tercera vez me explicó que si perdía el tren para Lomas de Zamora tendría que esperar veinte minutos en Constitución. Y así cambiaba veinte minutos por el *Assez vif et rhythmé* de Ravel.

—Peores cosas se han cambiado por un plato de lentejas —dijo Andrés—. Fijáte que de una manera u otra el hombre repite siempre los crímenes básicos. Un día es Ixión y al otro un pequeño Macbeth de oficina. Pensar que después nos atrevemos a solicitar certificado de buena conducta.

—Tal vez por eso yo siempre tengo miedo cuando entro en la policía —dijo Juan—. Nadie tiene el prontuario en blanco, che.

—Andá a saber —dijo Andrés— si las cosas que tomamos por desgracias o enfermedades no son simplemente sanciones. Me imagino que el viejo Freud no decía otra cosa, pero yo pienso ahora en la calvicie, por ejemplo. ¿No te parece que a lo mejor los calvos sucumben a un inconsciente-Dalila, o que los artríticos se dieron vuelta a mirar lo que no debían? Una vez soñé que me castigaban con la pena capital. Entendé que no aludo a la muerte: todo lo contrario. La pena era capital porque consistía en vivir del otro lado del sueño, acordándome todo el tiempo que lo había olvidado, y que el castigo era eso, haberlo olvidado.

—Abel hablaba así a veces —dijo Juan—. Su nombre lo sindicaba como víctima jugosa. Tal vez por eso anda con ganas de dar vuelta los papeles, se hace el malo con los espejos.

Andrés no dijo nada. Empezaron a bajar por Cangallo, sintiendo el calor en la cara.

—Cuidáme bien el paquete —pidió Juan, adelantándose—. Mejor dámelo a mí, Clarita; vos, querida mía, sos una calamidad en la calle.

Volvió a ponerse al lado de Andrés. Stella proponía que fuesen a caminar por la recova y a comer algo en una parrilla. Subieron hasta Sarmiento para tomar el 86.

pero Clara quiso telefonear a su casa y se quedaron en la esquina esperándola. Andrés miraba estimativamente a Juan.

—Sos un tipo colosal. ¿No tendrías que ir a estudiar un poco?

—Prefiero un litro de semillón y charlar con vos. Fijáte que nos vemos muy poco, casi como si fuéramos amigos íntimos.

—Dios nos libre de eso, y te libre a vos de las malas paradojas. ¿No notás una cosa en el aire?

—Neblina, tesoro —dijo Stella—. A esta hora se levanta la neblina.

—Macanas, nena. A esta hora no se levantan más que las putas y los bailarines. Pero como ser neblina, es.

—El centro está húmedo —dijo inútilmente Juan.

—La ropa se pega a la piel —dijo Stella—. Esta mañana cuando me desperté me parecía que las sábanas estaban mojadas.

—*Cuando tú te despiertas*
sangra el despertador.
Cuando tú te despiertas
son las once y cuarenta.
Amor, sábanas húmedas,
cuando tú te despiertas —dijo Andrés—. Te regalo esta letra de bolero para que reconfortes tu corazoncito candombero.

Stella le pellizcó una oreja, lo zamarreó contentísima.

—Cuando yo me despierto —dijo Juan— lo primero que se me ocurre como medida de emergencia es volver a dormirme.

—Lo que llaman cerrar los ojos a la realidad —dijo Andrés—. Ahora fijáte en esto que es importante. Hablás de volver a dormirte y tratás de hacerlo. Pero te equivocás al creer que en esa forma te vas a replegar sobre vos mismo, que te vas a amurallar detrás de lo que te defiende de eso que está enfrente de vos. Dormir no es más que perderse, y cuando tratás de dormirte lo que estás buscando es una segunda fuga.

—Ya sé, una muertecita liviana, sin consecuencias —dijo Juan—. Pero viejo, ése es el gran prestigio del dormir, la perfección del apoliyo. Vacaciones de sí mismo, no ver y no verse. Perfecto, che.

—Puede ser. De todos modos uno se adhiere tan moluscamente a sí mismo que aun medio dormido resulta difícil hacerse la zancadilla. A mí por ejemplo me pasa levantarme a las cuatro de la mañana para mear, consecuencia inevitable de quedarme mateando hasta tarde. Cuando me meto de nuevo en la cama noto que el cuerpo, por su sola cuenta (—¡Busca el huequito caliente! —gritó Stella), justito, querida, busca el hueco caliente, su calco, comprendés, su huella viva. Los pies en el rinconcito tibio, el hombre en su nicho abrigado... No hay caso, viejo, no en vano creemos que A es A.

—La única que busca un sitio fresco es la cabeza —dijo Juan—, lo que prueba que es la parte pensante de la persona. Ahí viene Clara, y allá parece que es el 86.

El tranvía colgaba de sí mismo, mujer que anda a tumbos llena de paquetes. A Juan (que fue a parar a un rincón y ligó una ventanilla por uno de esos remolinos ruleteros raros

que ocurren en todos los conflictos de voluntades

y que se resuelven casi siempre aleatoriamente

y que te dejan —pensó Clara— de a pie mientras el enorme zanguango se instala alegremente)

a Juan le gustó la niebla en las ventanillas, las luces como tigres rápidos (pero qué bonito, qué bonito) corriendo por los vidrios empapados. Como siempre que se instalaba en un tranvía, lo invadió una renuncia, un abandono satisfactorio. Delegaba en el tranvía, dejaba que un fragmento de ciudad pasara lentamente por él, con curvas, paradas y bruscos arranques. La niebla lo ayudaba a sentirse pasivo, a resbalar cada vez más en un pequeño nirvana de un cuarto de hora, de diez cuadras que los porteños jamás caminan si pueden evitarlo. El árbol Bo del Buda se llamaba 86. Cabalísticamente 86, dos cifras pares, un número divisible por dos: 43. Y en el bolsillo llevaba justamente un atado, pero PROHIBIDO FUMAR PROHIBIDO ESCUPIR. Debajo del árbol Bo.

"Con tan poca cosa puede un hombre ser feliz", pensó. "Ni siquiera un beso. Con tan poco. La taza de té preparada con su mínima liturgia, un insecto dormido sobre un libro, un perfume viejo. Sí, casi la nada..." Siempre que se aceptara abandonarse a la sombra del árbol Bo, conformarse con ser feliz unas pocas cuadras en un poco tranvía.

Una familia numerosa y activa se largó en la segunda parada, Stella hizo lo necesario para bloquear el acceso a un asiento y dejó que Clara se pusiera del lado de la ventanilla. Las dos se miraron con la sonriente alegría de todo el que consigue ubicarse en un tranvía lleno (tema para moralistas). Trataron de ver algo de la calle, pero la niebla no les dejaba gran cosa.

—Qué horrible es el Colón a oscuras —dijo Clara, frotando el vidrio de la ventanilla.

—Ufa, creí que las viejas no se bajaban nunca —dijo Stella—. Me canso tanto de viajar parada, aunque sean diez cuadras. Pensar que a Andrés le ofrecieron un Morris por cuatro mil pesos hace cinco años y yo le dije que esperara, que después vendrían más baratos de los Estados Unidos.

—Metiste la patita, querida. No hay como tener ideas en este país.

—Todos lo aseguraban.

—Razón de más. Pero Andrés se hubiera hartado del Morris, o ya estarían los dos aplastados por un camión con acoplado. Me lo imagino soltando el volante para hacer un dibujito en la humedad del parabrisas.

—La madre de Andrés dice lo mismo. Pero siempre hay que probar primero.

Clara la miró de reojo. Stella era así, pensamiento-tranvía, itinerario fijo. Imaginar en Andrés un posible Dupin: todas las ideas de Stella sabidas por adelantado. "Qué economía", pensó Clara, divertida. Le gustaba Stella: cómoda de llevar. Lo peor de las de su tipo es que creen poder tomar la iniciativa, pero Stella iba atrás, como la chinita con el mate, cuando más a la par. "De todos modos, Andrés, qué solución lamentable. Tener que tolerar semejante plastra, pobrecito." Pero a la vez la indignaba la elección de Andrés, aunque Stella acabara siempre por conmoverla.

—Qué oscuro está el centro —dijo Stella—. No me gusta así oscuro. Mirá esa vidriera con los *jodhpurs*, qué raro que tenga tanta luz.

—Bonitas lanas —dijo Clara, interesada—. ¿Y esa campanilla?

—Algún auto que sale de un subterráneo.

—No, debe ser que suben los barrenderos.

Stella se negaba a creerlo y quiso alzar la ventanilla. Les entró un aire caliente, tan blando de niebla que las mojó. En el pasillo, casi al lado de Juan, Andrés les silbó secamente para que bajasen el vidrio.

—Tiene razón, después me resfrío y él se pone furioso —dijo Stella—. Sí, me parece que es la limpieza. ¿Verdad que eran lindas lanas? A vos te gusta muchísimo tejer, ¿verdad?

—Bueno, cuando ando perdida de lecturas, o antes de algún examen.

—Es muy sedante. Como el mate amargo, a mí me repugna. Andrés dice que es tan sedante. Vos lo vieras tomando mate de noche.

—¿Escribe de noche?

—Sí, escribe a la noche. Se pone la campera vieja, me pide que no haga ruido y se ceba su mate.

Uno de los barrenderos se asomó a la puerta delantera (a Clara le sorprendió ver abrirse las hojas de la puerta sin que al parecer nadie las tocara. Siempre era igual cuando el mótorman las abría para decirle algo al guarda;

sorpresa, como un desencanto de que no fuera más que él con su facha de topo, sus grandes pies. "Un poco la idea de un telón", pensó, divertida. "Se abre el telón y zás, nada. Esperabas a Edwige Feuillère y te sale un inspector municipal"), mirando cansino a la gente apretujada en el pasillo. Cuando la cerró, diestramente

primero pasando el cuerpo y la escoba, dejando la
puerta
a sus espaldas,
y entonces con un rápido voleo de las manos hacia
atrás
como un prestidigitador (porque ahora la escoba y un
portabasura con un mango estaban
apoyados en una de las hojas)
cerrándola con un sonido seco y desabrido, un tarascón
de perro flaco.

"Ah, cómo se han de aburrir", pensó Andrés, viendo la cara pálida del barrendero. Sabía que el aburrimiento (el que él concebía) es castigo de perfecciones, pero lo mismo lo afligía proyectar en el barrendero la posibilidad del hastío. Vio en la plataforma (porque era un hombre alto) al otro barrendero que empezaba a trabajar desde ese lado. Se agarró de una manija cuando el tranvía tomaba la curva de 25 de Mayo y pegaba el coletazo habitual. Juan había sacado un libro y estaba leyendo. "Macanudo, escribí para que después te lean en los tranvías." Estuvo a punto de manotearle el libro, deslizar la mano por la espalda de la señora con los paquetes y arrebatarle el libro antes que se diera cuenta. "En fin, en fin", pensó, menos irritado. "Total, a estas alturas del emputecimiento local un tranvía es la justa sala de lectura. Pero habría que curarse en salud y escribir pensando en eso, en las circunstancias en que seremos leídos. Capítulos para el café, para el tranvía y otros para el fin de semana en que nos perfumamos y elegimos el buen sillón, la buena pipa y la cultura. Está muy bien así." Vio a Stella y Clara que se levantaban para permitir que el barrendero limpiara el asiento. El barrendero alto se ocupaba del asiento de Clara y Stella, y el barrendero aburrido pasaba ahora la escoba entre los zapatos de Andrés, que los fue levantando primero uno y después el otro, y miró a su turno cómo el muchacho pegado a él hacía lo mismo, y la señora de anteojos ahumados vigilaba temerosa el movimiento del mango de la escoba, y se arrimaba más y más contra un asiento, hasta meter las nalgas en la cara de un señor con aire de jubilado que retrocedía lo más posible contra el respaldo, alzando un poco *La Razón Quinta* pero sin animarse a convertirla del todo en biombo entre su cara y el culo de la señora de anteojos.

—Pero no ve que le digo dos veces que se levante —protestó el barrendero, y Juan cerró el libro un poco azorado y salió del asiento mascullando alguna cosa que Andrés no entendió. La señora de los paquetes suspiraba a la altura de la tetilla derecha de Andrés, y detrás quedaba Juan, tan tomado de sorpresa en la lectura, con un dedo metido en las páginas del libro, furiosísimo.

—Ves, el pobre autor no cuenta con estas diversiones —le dijo Andrés—. La palabra diversión va también en su otro sentido. Fijáte, el estilista pausa, modula, escande, ordena, dispone, acomoda el período, y después estás vos leyéndolo y entre dos mitades de proposición se te planta nada menos que un barrendero.

—La puta que lo parió —dijo Juan con muy poco cuidado por la señora de los paquetes.

Andrés guiñó el ojo a las chicas que recobraban su asiento. En el centro del pasillo la confusión era penosa, porque los dos barrenderos venían avanzando en sentido opuesto y los pasajeros, deseosos de cederles el sitio para que pudiesen barrer cómodos, se apretujaban cada vez más. Lo peor era el momento

(ya Juan estaba otra vez sentado, pero para qué
—pensó Andrés, irónico—
si a las tres cuadras se bajarían)

en que uno de los barrenderos se agachaba para —después de abrir con el pie el juntabasuras automático que tenía en la mano izquierda— recoger las pelusas, boletos, diarios, botones, piolines, conglomerados de polvo en la masa de una escupida, cabellos, cáscaras de maní, cajas de fósforos, recibos de certificados postales,

y al hacerlo se doblaba aunque no quisiera (porque el juntabasura tenía un mango largo pero con toda la gente y la pésima iluminación del tranvía a la altura del suelo había una oscuridad confusa)

tratando de ver mejor, y entonces la gente

era empujada por un lado por el kepí del barrendero, y un kepí tiene mucha fuerza cuando adentro va una cabeza atenta a sus obligaciones, y por el otro

el culo del barrendero que se iba desplazando en línea horizontal en exacta correspondencia con su agachamiento. Y dado que ahora los dos barrenderos estaban a punto de encontrarse en la mitad del pasillo —"Por suerte", pensó Andrés, "me dejaron fuera" —y se agachaban a cada momento para hacer funcionar los juntabasuras, el espacio destinado a los pasajeros se reducía más y más, con manifiestas consecuencias que los pasajeros buscaban evitar deslizándose uno contra otro (y cuando dos botones se rozaban se oía un ruido seco) y murmurando en voz baja o haciendo bromas de disimulo. "Con tal", pensó Juan guardándose el libro en el bolsillo, "que no me hayan machucado el coliflor". No quería mirar atrás, adonde estaba Clara, por miedo de que comprendiera su inquietud. "Ahora voy a llevar yo el paquete."

—Fijáte cómo está 25 de Mayo —le dijo Andrés con una ojeada de sobreentendido—. ¿Te acordás?

—Claro —dijo Juan—. No han dejado ni uno. Gracias si los bares lácteos. Hasta que alguno descubra que la leche es obscena y también los liquide.

—Lo es —dijo Andrés—. Pero no tanto como las fálicas vainillas. Niñas, se bajamo en la esquina.

—Se bajamo —dijo Clara. Le era difícil salir del asiento porque Stella ("pide permiso con voz de novicia en una plaza de toros", pensó. "A la gente de los tranvías hay que dominarla con la voz si no se tienen codos"). Por sobre la cabeza de uno de los barrenderos le pasó el paquete a Juan, y acabó bajando con Stella por atrás. Cuando Juan llegó al estribo el tranvía había arrancado, y se soltó a mitad de la curva de Corrientes. Ahí todo estaba lleno de luces; a dos cuadras del pobre barrio chino liquidado, la ciudad correctísima para familias empezaba alegremente: el bonete rojo del buzón del *Jousten*, el cafecito de frontera, el blando tobogán que te lleva al Luna Park y te da numerosas peleas por numerosos pesos.

El cronista escuchaba *London Again* y se acordaba de tantas, de tantas cosas amables y queridas y tan loción de lavanda como las melodías de Eric Coates. El Würlitzer, objeto escatológico, amenazaba con sus sambas y sus machichas, por eso el cronista prefería sentarse al lado aunque le partiera los oídos, y darles al Würlitzer más y más monedas para que solamente *London Again* y después un tanguito

Te acordás Milonguita, vos eras
la pebeta más linda 'e Chiclana

con las entradas zurdas y de abajo de los fuelles, los piques secos del piano, los cortes exactos, y el cronista contestó con un dedo al saludo lejano de Andrés Fava que venía con su amiga y otra pareja (pero si eran Juan y Clara) mientras meditaba en el estilo de Juan D'Arienzo, reivindicación de la pianola, del canario, del ruiseñor a cuerda

Y EL EMPERADOR IBA A MORIR (por culpa del ruiseñor, sí, señor).

—Cámbieme un peso en monedas de veinte —dijo el cronista. Si ese negro de ojos sucios se le ponía a tiro de Würlitzer, seguro que la iba de chamamés. Tres en la lista impresa, la mar de chacareras y gatos. "Odio el folklore", se afirmó a sí mismo. "Solamente me gusta el folklore ajeno, es decir el libre y gratuito para mí, no lo que me impone la sangre." En general las imposiciones de la sangre eran vomitantes. "Ahora van a venir a charlar en cuanto acaben el copetín. Si solamente estuviera Andrés, pero la mujer es hórrida. ¿Y qué pongo ahora?" La lista era larga y en dos columnas. Eligió un disco de la Metronome All Star Band: *One O'Clock Jump*. Entonces vinieron Juan y Clara.

Comiendo papas fritas en el mostrador, Andrés y Stella miraron hacia donde el cronista daba su bienvenida y acercaba sillas. Clara se divertía estudiando las entrañas del Würlitzer.

"Moloch de confitería", pensó Andrés. "Sacrificio de monedas al diosecito panzón y estridente. Baal, Melkart, bichos obscenos, pescados de la música. Oh cronista, sufeta lamentable." Quería mucho al cronista, camarada de noches de box, café tarde, diálogos sobre el amor, ensayos y misceláneas,

el cronista tipo tranquilo con su pisito en Alsina al cuatrocientos y sus hábitos porteños: buen ejemplo de no te metás, de se me importa un cuerno, de

pobre páis, sí que vas bien

pa una prósima elesión (tanguito que silbaban juntos, cuando se veían más; antes de Stella, de la caída en el presente. "Ojo" —pensó Andrés— "no te fiés de las frases. Siempre estábamos caídos en el presente, che").

—Vení, vieja, vamos a charlar con el cronista.

—Andá, yo termino estas papas que están tan ricas —dijo Stella.

Cuando llegó a la mesa los tres ya estaban instalados y el Würlitzer callado pero peligroso.

—Véanlo al tipo —dijo el cronista apretándole la mano como si tuviera una llave inglesa—. Che, ¿no te da vergüenza saludarme? Hombre perdido, que tu chaleco se te llene de bolsillos y en cada uno tengas un cigarro húmedo y un billete falso y una lapicera esferográfica horror de este tiempo.

—Por mi parte, que te recontra —dijo Andrés. Se miraban, contentos. Clara y Juan se divertían de sólo verlos.

—¿Y ustedes cuándo cenan? —dijo el cronista.

—Ahora. Pero primero entramos a mojar el hambre. Es una noche especial, sabés, mañana pasan grandes cosas.

—Nunca pasan grandes cosas —dijo el cronista que sabía ser *blasé* a sus horas.

—Sí que pasan —dijo Andrés—. Sólo que no le pasan a uno. Mañana Clara y Juan rinden el examen final. A las nueve de la noche.

—No veo que sea tan grande —dijo Clara.

—Seguro, porque te pasa a vos. Pero para mí y el cronista es todo un suceso. No cualquiera anda con amigos en capilla, con tipos que van a dar el examen final. Hay que amplificar el suceso para que históricamente se haga grande. Pensá en los titulares: CATASTROFE EN EGIPTO: VEINTE MUJERES QUEMADAS VEINTE. La gente lo lee y dice que realmente es una catástrofe horrible. A todo esto han muerto diez mil mujeres en otras diversas partes, y todo el mundo tan pancho. Preguntále al cronista, él sabe de esas cosas.

Pero Juan le mostraba un pedacito de la coliflor al cronista, descubriendo con dos dedos una parte del papel. Clara le quitó el paquete y lo puso encima del Würlitzer, pero el barman hizo furiosas señales y Clara recobró el paquete y se lo puso en la falda. "Las cosas que hago por este idiota. Y él no me llevaría ni una aspirina en el bolsillo si se lo pidiera." Acarició el paquete, la gran cara blanca llena de ojos debajo del papel. Andrés y el cronista hablaban y hablaban, contentos de haberse encontrado.

—Hoy salí a las ocho —dijo el cronista—. Che, ¿por qué no vamos a comer? Salí a las ocho y me vine a oír *London Again.* Es increíble cómo me gusta.

—Pero es una inmensa porquería —dijo Andrés.

—Está bien, no digo que no. Vos sabés que todos tenemos algún rincón cafre por ahí. Mi cafre sabe inglés, eso es todo. Entonces puse *London Again* y estaba pensando en ponerlo otra vez cuando entraron ustedes. Che, vámonos a comer algo.

—Stella quería una parrillada.

—Todos queremos una parrillada. Y hablar mucho.

—De Abel —dijo incongruentemente Stella.

—Sos perfecta —dijo Juan, nada contento—. Te daremos doble ración de mollejas. Me parece muy bien que el cronista venga con nosotros. Rompe el número par que es siempre estúpido, y aporta sus cualidades personales.

—Y tal vez pague la cuenta —dijo Andrés, empujando al cronista que lo miraba tiernamente—. El cronista ha vuelto hace poco de Europa, y trae sabiduría en las palabras. Preparaos a beberla con cada copa de semillón. Además el cronista lee mis ensayos, o los leía en nuestros buenos tiempos.

—Por mí —dijo el cronista— los seguiría leyendo volontieri, pero vos sos de los que desaparecen por seis meses y no se te ve ni el pelo. ¿Usted lo tiene secuestrado, Estelita?

—Ay, si pudiera —dijo Stella—. Lo que sí él escribe mucho y se la pasa tomando mate. Yo le digo que tanto estudio un día le va a hacer mal.

—Ya ves —dijo Andrés—. Te han hecho el retrato perfecto del anacoreta, con mate y todo.

—¿Y por qué uno no se entera de lo que escribís? —dijo Juan—. En este país uno escribe por lo regular para los amigos, porque los editores están demasiado ocupados con las hojas en la tormenta y los séptimos círculos.

—Mirá, uno va juntando cosas, hay que revisarlas, pasarlas a máquina... Y después de todo, ¿qué necesidad hay de leer tanto? —dijo Andrés, furioso—. Hablan de lo que uno hace como si fuera imprescindible. Sí, llevo un diario. ¿Y qué? Es más bien un noctuario. ¿Y? Hagan el favor, che, con todo lo que hay por ahí para leer...

—Sabés muy bien que uno lee a los amigos por otras razones —dijo Clara.

—Bueno, de acuerdo, pero cuando se empieza a juntar gente como en un choque de autos,

pibe, la cosa me huele a funeral, y de esos con discursos y salvas al aire.

—Pero es que nos encantan las capillas —dijo Clara—. ¿Qué idea te hacés de Buenos Aires? Entre nosotros el reparto de papeles es perfecto; vos escribís algo y cinco o seis parientes y amigos lo leen; a la semana siguiente cambia el orden: Juan escribe un cuento, vos y yo lo leemos... Funciona muy bien, no me vas a decir. A veces me río pensando que en la Casa debe haber centenares de capillas que se ignoran entre ellas. Montones de tipos escribiendo para tres, ocho o veinte lectores.

—Tu descripción acaba de darme vuelta el estómago —dijo Andrés.

—Nunca antes de la cena, che —dijo alarmado el cronista—. Vámonos, que tengo un apetito bárbaro.

—La niebla está peor —dijo Clara, olfateando la calle.

—No es niebla, es humo —dijo Stella.

El cronista hizo un gesto dubitativo.

—¿Entonces?

—No se sabe —dijo el cronista—. Esta noche se hablaba de eso en la redacción. Exactamente no se sabe. Estaban haciendo análisis.

Como Juan iba adelante charlando con Stella y el cronista, Andrés tomó del brazo a Clara y los dejó ganar distancia. Clara se dejaba llevar, entornando los ojos.

—¿Tenés miedo del examen? —dijo Andrés.

—No, más bien curiosidad. Por lo regular en la vida se sabe cómo van a ocurrir las cosas. Hasta podés imaginarte con bastante detalle lo que te va a hacer el dentista, lo que vas a comer en casa de tu tía... Pero esto no: te repito que es un pozo, el enigma perfecto.

—Sí, va a ser una mala media hora —dijo Andrés—. A

lo mejor voy a acompañarlos mañana. No sé si te gustará ver conocidos ahí. A veces es peor, como en los velorios.

—Pero no, me parece muy bien. En esa forma, nos vaya como nos vaya, acabaremos bebiendo en alguna parte. ¿No sentís calor, y como un mareo? —dijo Clara confusa, agarrándose del brazo de Andrés—. Qué rara está la calle, esta niebla.

—Pegajoso.

—No puedo luchar contra el calor de esta noche —dijo Clara—. Juan se ríe de mí cuando le digo que me basta pensar la frescura para sentirla. Es cierto, ando siempre con un biombo de clima para mí sola, pero esta noche me falla. Serán los nervios —agregó con humildad.

—¿Y Juan está tranquilo?

—Dice que sí, pero mirálo cómo gesticula. Y ha escrito como un loco estas noches. A mitad de una ficha se ponía a escribir versos. Está furioso contra todo, le duele Buenos Aires, yo le duelo, anda mal comido, bostezando.

—Vaya un cuadro.

—Vos sabés que las cosas se las toman particularmente con él —dijo Clara—. No es fácil encontrar la justa sopa para Juan. Le das de tapioca y resulta que le tocaba de estrellitas. Yo misma no le toco algunos días.

—Mientras coincidas de noche... —dijo Andrés con bien escandidas palabras.

—Oh, eso, en el fondo es lo más fácil de todo. Con Juan el problema empieza cuando nos despertamos. Decíle que te lea sus poemas de estas semanas, vas a ver. Yo insisto en que vayamos a la calle, lo saco a pasear, me lo llevo por ahí; creo que le hace falta. Anoche me dijo, medio dormido: "La casa se viene abajo". Después de quedó callado, pero yo sé que estaba despierto. Y para qué te cuento esto...

—Para nada, que es como debe contarse. ¿Adónde nos llevan ésos? Ahí, al restorán frente al estadio. Poemas, poemas, todo acaba ahí.

—Todo empieza —dijo inteligentemente Clara.

—No quise decir eso.' Pero fijáte que desde esta noche, y desde todas las noches, no hacemos más que hablar de lo que escribimos y lo que leemos.

—Pero si está muy bien.

—¿Vos creés? ¿Vos creés de veras que tenemos *derecho*?

—Explicáte —dijo Clara—. Así no te entiendo.

—La explicación va a ser más literaria que la pregunta —dijo tristemente Andrés—. No sé realmente lo que quiero preguntar. Es un poco una rabia de intelectual contra sus colegas y él mismo. Una sospecha horrible de parasitismo, de innecesidad.

—No hablés como un gaucho resentido —se burló Clara.

—Entendéme bien. No te niego el derecho y la razón de ser del intelectual. Está muy bien la poesía de Juan, mi diario y mis ensayos están muy bien. Pero fijáte, Clara, fijáte en esto, en el fondo él y yo y los demás nos pavoneamos demasiado con lo que hacemos. A veces con lo que hacemos, y a veces por el hecho de hacerlo. *Yo escribo.* Dan ganas de contestar con lo más breve y lo más insolente del contragolpe inglés: *So what*?

—Pero es que no podés plantear la cosa así —dijo Clara—. Lo que interesa es saber qué se escribe. El derecho a afirmarlo viene después. Qué sé yo, un Valéry podía decir: *Yo escribo.* ¿A vos te hubiera chocado oírselo decir?

—No —dijo Andrés, mansamente—. Supongo que es eso. Pero todo este hablar, este pasarnos papeles, estas mesas de café donde libros y libros y libros y estrenos y galerías... Mirá, aquí hay un escamoteo, una traición.

—No te falta más que agregar: "traición a la realidad, a la vida, a la acción", y con eso y un botoncito en la solapa estás a punto para largar en cualquier carrera.

—Claro, las palabras. Pero yo buscaba decirte otra cosa. Es la *calidad* de nuestro intelectualismo lo que me preocupa. Le huelo algo húmedo, como este aire del bajo.

—Pero escribís tu diario —dijo Clara, defendiendo a Juan.

—Y el diario huele a niebla. Mirá, lo que estamos haciendo es tragar este aire sucio y fijarlo en el papel. Mi diario es un cazamoscas, una miel asquerosa llena de animalitos muriéndose.

—Ya es algo que lo sepas —dijo Clara, que de chica había querido ser enfermera.

Andrés se encogió de hombros, le apretó el brazo, se sintió vagamente contento. Esa noche tenía el consuelo fácil.

—No estoy de acuerdo —dijo el cronista—. Sí, Stella, yo comería antipasto y le sugiero lo mismo. Aquí sirven un antipasto entomológico, un conjunto fascinante de objetos.

—*The yellow nineties* —dijo Andrés—. Para mí jamón. De manera que no estás de acuerdo.

—No. Creo que aquí somos pocos, que servimos para poco, y que la inteligencia elige sus zonas y entre ellas no está la Argentina.

—Mera deformación profesional —dijo Juan—. Como sos lo que mi suegro llama un hombre de letras, te olvidás de los hombres de números. Aquí la inteligencia opta por la zona científica. Nos pasamos el día negando la posibilidad creadora de los argentinos, sin ver que nuestra vitrina es una de las muchas y que otras gentes pueden estar trabajando y haciendo por su lado. Un buen biólogo se ha de reír en grande oyendo nuestros chillidos. Porque ni siquiera gritamos, esto es un chillido de ratas. Me trae un medio pomelo.

—Querido —dijo el cronista—, ni vos ni yo estamos en la vitrina de enfrente ni conocemos biología para poder opinar con certeza si en ese campo las cosas andan realmente bien. Lo que yo alcanzo a ver no me parece del otro mundo. Pero, dándote el descuento que me pedís con tu objeción, insisto en que éste es un país de observadores a secas, de gentes mironas que dejan confiada a una memoria precaria las imágenes que ven y las palabras que oyen. Cincuenta mil tipos viendo gambetear a Labruna: Argentina. De paso te da la posible proporción entre los inútiles y el creador. Vos me dirás que aquí hay grandes poetas, y es cierto. Yo he dicho que la poesía no es un mérito humano sino una fatalidad que se padece. Aquí hay un buen montón de hombres atacados de poesía, mientras que te invito a que me recuentes los creadores activos, es decir, los inteligentes.

—Te hacés un triste lío —dijo Juan—. ¿Por qué de golpe ese entusiasmo por la inteligencia? ¿Y qué quiere decir la inteligencia? El argentino, digamos el porteño a quien conozco y convivo y comparto, es siempre un tipo inteligente. La creación nace de la moral, no de la inteligencia.

—Ay —dijo Clara—. Lo que somos es flojos.

—Justo, flojos, sin tensión. Fijáte que un rasgo frecuente en el porteño es que tiene ideas brillantes pero inconexas, quiero decir sin contexto, sin causa ni efecto. En cambio, en una mentalidad bien planificada, toda idea tiende a aglutinar otras, cerrar el cuadro. Perdonáme este vocabulario pero es más claro que otras metáforas. Lo que quiero decir es que carecemos de espíritu de sistema (aunque ese sistema sea la libertad o para la libertad) y eso es un defecto moral más que otra cosa. Dilapidamos en cohetes sueltos montones de materiales que cualquier profesorcito de Lyon o de Birmingham organizaría coherentemente en unas semanas de ficharse a sí mismo y a los demás.

—En el fondo no andamos tan desparejos —dijo el cronista—. Cuando hablé de inteligencia me refería más a sus productos que a su manifestación gratuita. Ahora que, mirando la cosa más de cerca, se entra en el problema de las causas de este... de este *status*. Pibe, qué frases me mando.

—Si se las dejaran publicar en el diario, ¿eh? —dijo Stella, contentísima pensando en el flan con crema que iba a comer de postre.

Andrés oía, y miraba a Clara. Sin saber por qué se encontró pensando en Malaparte. "Todo el mundo sabe cómo son de egoístas los muertos. No hay más que ellos en el mundo, todos los otros no cuentan. Son colosos, envididiosos: todo lo perdonan a los vivos, salvo el estar vivos..." Se preguntó si los muertos discutirían en alguna parte como Juan y el cronista, si entre ellos habría alguno que mirase como él estaba mirando a Clara (y Stella lo miraba a él, divertida sin saber por qué). Por un segundo la posición de todos, estar rodeando la mesa con el mantel y la comida, el reflejo que un cuchillo le tiraba a los ojos, le pareció inconcebible. Ver la cosa, saberla, pero no dar el paso que la fijaría en una referencia mental cualquiera. Hablaban, hablaban, pan y manteca, Clara, Stella, la niebla, la noche, vos sabés que aquí se vive de prestado, los grupos que entraban, un raro crujido de la puerta, el olor ácido de un jugo de pomelo, todo lo perdonan a los vivos salvo el estar vivos. Respiró hondo, para hacer retroceder una presión de abajo arriba que repentinamente lo angustiaba. Si se pudiera...

Pero no acabó la idea (que no tenía palabras, y podía ser detenida así en la mitad, disuelta en la nada, en esa cosa negra sin negrura de adentro, esa sensación de interior sin espacio) y siguió mirando a Clara, buscando aliviarse en el rostro inmóvil de Clara que atendía el diálogo.

—Te concedo que no tenemos gran cosa que decir —admitió Juan—, porque en realidad nos pasamos la vida evitando comprometernos individualmente en la aventura humana. Formamos parte de nuestro barro y nuestro río, esos elementos sin historia o cuya historia pertenece a otros. Estamos cansados por adelantado de no tener nada verdadero que nos fatigue por hostigamiento. Somos tan libres en el fondo, vivimos tan poco atados por un pasado o un futuro, que la inefabilidad parece ser nuestra manera más auténtica. Acordate de aquel libro que circulaba en el año treinta, con las "Obras completas de Hipólito Yrigoyen". Lo abrías, y estaba en blanco. Por eso nuestras papelerías son más lindas que nuestras librerías.

—El tipo monta la máquina y es feliz —dijo el cronista, agraviado—. Mirá, si es cierto que no tenemos gran cosa que decir, por lo menos debíamos callarnos o, lo que sería más digno de gentes como nosotros,

víctimas de Ardolafath, el demonio del verbo, el poderoso, hacer la obra de pura creación, el ex-nihil absoluto. Un poco como Buenos Aires se levanta entre las dos llanuras de agua y pasto.

—Estás equivocado. No hay pura creación sin una moral de creación. No hay moral de creación sin dignidad personal (se puede ser indigno en la vida personal, pero aún el traspaso de esa indignidad a una obra, la crónica de esa indignidad requiere una moral a salvo de compromisos y transacciones y Sociedad Argentina de Escritores y rotograbado del domingo). Hasta para ser un hijo de puta hace falta estar bien plantado. Perdoname que te la siga un poco. Aquí lo que vos llamás pura creación, que sería macanudo como manera de burlar el determinismo y hacer obra aunque no te dieran ladrillos, me parece hasta hoy un escapismo asqueroso. Yo mismo, yo el primero, cronista. Yo escribo poemas, y sé por qué los escribo. Yo traiciono. Y si hablo de furias y de viudeces en mis poemas, es que me estoy viendo con los ojos reventados, me sigo por la calle y me escupo la sombra para que los demás se den cuenta de qué clase de canalla soy.

—Siempre te estás acusando —dijo Stella, afligida—. Comamos primero, y sobre todo no te revolvás la bilis. Todos tenemos un mal concepto de nosotros mismos, porque en el fondo somos mejores que muchos.

—Sorprendente —dijo el cronista, mirándola con elogio.

Clara se encogió de hombros y mordió en la carne jugosa. Tenía el hábito de Juan, su vocabulario, sus cajas de rompecabezas. En la silla, a su lado, el paquete de la coliflor crujía a cada vibración del piso. Por una vitrina se alcanzaba a ver la niebla sobre Bouchard. Por momentos se hacía más espesa, y de golpe se alzaba, como subiendo, se veía la calle con los autos. Clara estaba en la calle, iba por la niebla. Las palabras a su alrededor se hicieron lejanas y más agudas, como de teléfono. Pensó sin miedo en el examen, casi sin expectativa. Andrés la miraba y le sonreía despacito. Ay, había sido dura con él un rato antes. Para defender a Juan tenía siempre que lastimar a otros. Abel, Andrés. Todo lo que se hablaba era absurdo, inocente, peña de estudiantes, eutrapelia.

—La palabra eutrapelia huele a heliotropo —dijo en voz baja a Andrés—. Es una lástima, no te parece, que tengamos que vivir en una edad tan metafísica. Literariamente hablando, entendéme.

—No te entiendo.

—Ni yo —dijo Stellaojosabiertos.

—Brutitos que son. Oí: éstos, y fijáte cómo se desgastan, arman su plataforma sobre la base de si lo que se escribe entraña o no al hombre hombre, al hombre carne y destino. Afrancesados puros, como ves. Pero yo te digo que Malraux es metafísica. Porque atrás de los ochenta kilos de cada tipo estará su destino, pero su destino es su razón de ser, o al vesre, y su razón de ser te lleva a su ser como raíz y kilómetro cero, y eso es metafísica.

—Ay, Clarita —dijo Juan, acariciándole la cara con tristeza.

—En cambio, si eutrapelia huele a heliotropo, esto es concreto, un problema como le gustaba a Mallarmé y a su tiempo. Ya ves que siempre se acaba citando a Mallarmé, pero aquí es justo. Yo preferiría oírlos

vamos a decir oírnos

hablando de algo tan concreto y tan poco metafísico como la elucidación del por qué la voz eutrapelia me remonta un heliotropo por dentro de la nariz. Filología, analogía, semántica, simbolismo, qué lindas cosas, que bien viviríamos con ellas. Pero no, Juan tiene que

salvarse de esas elegancias, tiene que encontrarse a sí mismo como razón de ser. A eso le llama concretar una obra o las bases de una obra. Yo le llamo arrimarle el fósforo a la cañita voladora
y arriba, z z z ——— Clara dixit.

—Asombroso —concedió el cronista—. Se pasa al cuarto todo lo que va del siglo. Eutrapelia. ¡Joder!
—Café —dijo Andrés—. No, no quiero flan con crema. No, querida.
—Tomaré el flan con crema —dijo Stella.

"Abel", pensó Clara, fatigada. "Pobre Abelito. Se hubiera quedado duro si me oye perorar. Y mañana... No, Andrés, es tarde para que me mires así. Siempre es tarde, Andrés. Siempre." El mozo dejó caer un vaso, y el ruido hizo reír a Stella; entonces el mozo le explicó que el vaso se le había resbalado y Stella dejó de reírse y se mostró muy interesada por la explicación.
—Cosas del oficio —decía el mozo, pateando inteligentemente los cachos de vidrio rumbo a un zócalo cercano—. Todos los días se quiebran tres o cuatro. El patrón la va de cabrero, pero qué le va a hacer, son cosas del oficio.
—También hay que darle a ganar al fabricante de los vasos —dijo Stella.
—Comé tu flan —pidió Clara, y miró de reojo a Andrés que había cerrado los ojos y parecía esperar una descarga o un milagro. Un horrible chillido de diariero los sacudió a todos. El tipo entró a la carrera, anduvo por las mesas, repitió el pregón con menos fuerza. El cronista lo miró irse, hizo un gesto de cansancio.
—Yo lo escribo y él lo vende —dijo—. Cuando ustedes lo leen, la trinidad se perfecciona, el Jaggernaut de papel, etcétera. Bueno, rajemos.

"Tan absurdo hablar porque sí, pensó Juan cuando salían, oírse hablar y saber que nunca se tiene demasiada razón. Esa es otra, quizá la peor de nuestras cobardías. Los que valemos algo aquí no estamos ya seguros de nada. Hay que ser un animal para tener convicciones."

—Vamos por Leandro Alem hasta Plaza de Mayo —pidió Stella—. Quiero ver lo que pasa.

—Si vemos algo —se quejó el cronista, oliendo la niebla.

Costearon Correos y Telecomunicaciones, sintiéndose pegajosos y sin ganas de hablar. Del Luna Park los alcanzó un súbito clamor, trepando agudo para deshacerse después en una caída fofa, una pérdida.

—Muñeco al suelo fastrás —dijo el cronista—. Juancito, los boxeadores son tan felices, se pegan con tanta alma, son la música de la vida.

—El Apoxiomenos canta —dijo Juan—. Pero nadie canta aquí esta noche. Escuchá esto, cronista, te lo regalo, está fresquito y sin corregir. Creo que se va a llamar *Fauna y flora del río.*

Este río sale del cielo y se acomoda para durar,
estira las sábanas hasta el pescuezo, y duerme
delante de nosotros que vamos y venimos.
El río de la plata es esto que de día
nos empapa de viento y gelatina; y es
la renuncia al levante, porque el mundo
acaba con los farolitos de la Costanera.
Más acá no discutas, lee estas cosas
preferentemente en el café, cielito de monedas,
refugiado del fuera, del otro día hábil,
rondado por los sueños, por la baba del río.
Casi no queda nada; sí, el amor vergonzoso
entrando en los buzones para llorar, o andando
solo por las esquinas (pero lo ven igual)
guardando sus objetos dulces, sus fotos y leontinas
y pañuelitos

guardándolos en la región de la vergüenza,
la zona de bolsillo donde una pequeña noche murmura
entre pelusas y monedas.

Para algunos todo es igual, mas yo
no quiero a Rácing, no me gusta
la aspirina, resiento
la vuelta de los días, me deshago en esperas,
puteo algunas veces, y me dicen
qué le pasa amigo,
viento norte, carajo.

—Me gusta —dijo simplemente Andrés,

(porque se habían quedado callados, rodeando a Juan que tenía los ojos brillantes y de golpe se pasó el dorso de la mano por la cara y se dio vuelta para que no lo vieran).

Al cruzar la playa de estacionamiento del Automóvil Club vieron los papeles. Un remolino los alzó sobre los coches estacionados, bajaron en un sucio remedo de nevada, colgándose de los picaportes, resbalando en los techos jabonosos de los Chevrolet y los Pontiac. Toda la playa estaba cubierta de pedazos de diarios, bollos de papel madera, papel marmolado, sobres, atados de cigarrillos rotos en cinco o diez pedazos, papel de seda, carbónicos viejos, borradores. El remolino los había juntado entre los autos, en el cordón de las aceras, sobre los canteros.

Juan iba adelante y cuando miró el mar de papeles sucios tuvo ganas de dar un rodeo, bajar hasta la recova y seguir por ahí. Los otros comentaban

se habían puesto a hablar en voz más baja

con eso que queda al final de la sonata o del trueno,

y Juan iba adelante apretando la coliflor y preguntándose cómo pasarían esas horas que faltaban para el examen. El examen se le daba como un término fijo, una boya hacia la cual avanzar. Buena cosa los términos fijos, los exámenes. Ante todo un término fijo es como una marquita de lápiz en la regla graduada: precisa lo que antecede, marca una distancia

aquí un tiempo un plazo un impulso que a cierta hora cesa

como remontar el reloj calculando que se pare a las siete y cuarto

y a las siete y diez el reloj empieza a pulsar despacio, se haragana,

se muelle hasta

las siete y dieciocho penosísimo

y una diástole una diástole

nada más que una diástole

una cosa encogida enfriada sin razón boca arriba

horario palito, minutero palito, segundo palito.

Vieron, desde Bartolomé Mitre (ya no quedaban papeles) la luz violenta de la Plaza de Mayo. La Casa Rosada crecía en el aire de niebla, asomando a jirones, con luces en los balcones y en las puertas. "Recepción", pensó Juan. "O cambio de gabinete". Pero esto último era absurdo, no encendían luces extra para tal cosa. Probablemente la iluminación de Plaza de Mayo reverberaba en los edificios cercanos. De lejos venía una música metálica, esa abyección de la música (cualquier música) cuando la echan desde los parlantes en serie, la degradación de algo hermoso, Antinoo atado a un carro de basura, o una alondra en un zapato. "O una alondra en un zapato", repitió Juan.

Clara se puso a su lado y lo miró más arriba de los ojos.

—Dame el paquete si te cansa.

—No, quiero llevarlo yo.

—Bueno.

—No sé para qué vamos a la Plaza de Mayo.

—A Stella le gustaba —dijo Clara—. Parece que siguen con las ceremonias.

El cronista se les agregó. Iba con las manos en los bolsillos del pantalón y como no se soltaba el saco, a los lados se le hacían como dos aletas.

—Todo Buenos Aires viene a ver el hueso —dijo—. Anoche llegó un tren de Tucumán con mil quinientos obreros. Hay baile popular delante de la Municipalidad. Fijate cómo desvían el tráfico en la esquina. Vamos a tener un calor bárbaro.

Subían el repecho por el lado de la casa de gobierno. Desde ahí (ahora Andrés y Stella estaban en línea con ellos, y nadie hablaba) se veía fluir la gente hacia el otro lado de la plaza, desplazándose por Rivadavia e Yrigoyen. Pero en el medio la multitud estaba casi inmóvil, oscilando apenas con enormes vaivenes que sólo de lejos se alcanzaban.

—Hicieron el santuario tomando la pirámide como uno de los soportes —explicó el cronista—. Todo el resto es arpillera.

—¿Vos estuviste? —dijo Juan.

—Profesionalmente —dijo el cronista—. Me mandé una nota padre.

—Ergo fuiste el que consagró la peregrinación. No me mirés de reojo porque es la verdad. Ellos pusieron la lona y tu diario trae la gente, a veinte guitas por engrupido.

—No hablés así —dijo Andrés, muy serio—. La gente no viene sólo por el diario. Ninguna campaña publicitaria puede explicar ciertos furores y ciertos entusiasmos. Me han dicho que los rituales son espontáneos, que a cada rato se inventan nuevos.

—Un ritual no se inventa —dijo el cronista—. O se lo recuerda o se lo descubre. Ya están listos desde la eternidad.

—Vamos a la plaza —pidió Stella—. Aquí no vemos nada.

Una sirena aulló detrás de ellos obligándolos a darse vuelta. Dos ambulancias corrían por Alem hacia el Sur. Detrás venían motocicletas, y en el fondo una tercera ambulancia.

Cruzaron a la plaza bajo los balcones de la Casa de Gobierno. La niebla no resistía allí el calor de las luces y la gente, la otra niebla oscura y parda al ras del suelo. Miles de hombres y mujeres vestidos igual, de gris topo, azul, habano, a veces verde oscuro. La tierra estaba blanda desde que habían levantado las anchas veredas para despejar la plaza —aunque el cronista afirmaba que nada podía haberse despejado con eso, y pateó furioso el suelo— y había que andar con cuidado, agarrándose a veces del codo o los hombros de alguno que estuviera en un pedazo más firme de esa pista informe en la que lo único sólido parecía ser la Pirámide.

Andrés vio vacilar a Clara y le apretó el brazo. Juan había alzado hasta el pecho el paquete con la coliflor y lo protegía con un amplio arco. Así avanzaron unos metros, tratando de ver mejor en dirección al santuario.

—Vos deberías estar en la cama, juntando fuerzas para mañana —dijo Andrés.

—No podría dormir —dijo Clara—. Mejor estar cansada en los exámenes, tenés mayor fosforescencia. Me gustaría que me preguntaran sobre psicología de las multitudes, les contaría esto y asunto acabado.

—Ahí tenés algo para contarles —dijo Andrés, abriéndole paso para que viera bien. Pero ver bien era faena de codos y empujones y no sea bárbaro parecería que no saben caminar por la calle,.

decíle a tu hermanito que no se adelante tanto, diosmío este chico es propiamente la escomúnica,

no rempujés, negro, que me haces venir loco,

en un confuso crecer de cuerpos y nucas y pañuelos al cuello, rompiéndose contra una barrera de tipos silenciosos que parecían esperar alguna cosa. Pegada a Andrés, Clara pudo asomarse a una rendija entre dos sacos negros, mirar dentro del círculo mágico,

era un círculo, los tipos se tenían del brazo y rodeaban a la mujer vestida de blanco, una túnica entre delantal de maestra y alegoría de la patria nunca pisoteada por ningún tirano, el pelo muy rubio desmelenado cayéndole hasta los senos. Y en el redil había dos o tres hombres de negro, achinados y enjutos, Clara los vio que oficiaban algo, que servían en la ceremonia con movimientos de pericón desganado. Pensó en Prilidiano Pueyrredón, en el dulce de zapallo, olió el aire jabonoso como para ver mejor. Uno de los tipos de negro se acercaba a la mujer, le puso la mano en el hombro.

—Ella es buena —dijo—. Ella es muy buena.

—Ella es buena —repitieron los otros.

—Ella viene de Lincoln, de Curuzú Cuatiá y de Presidente Roca —dijo el hombre.

—Ella viene —repitieron los otros.

—Ella viene de Formosa, de Covunco, de Nogoyá y de Chapadmalal.

—Ella viene.

—Ella es buena —dijo el hombre.

—Ella es buena.

La mujer no se movía, pero Clara pudo verle las manos pegadas a los muslos; abría y cerraba los dedos como en una histeria que va a saltar de golpe. Le entró miedo, y además el asco de darse cuenta

que cómo había podido, cómo

había podido

y ya no hay marcha atrás, todas velocidades de arranque, las cosas son IRREVERSIBLES como el tiempo que-se-las-lle-va

pero cómo había podido, al final, murmurar con los otros: "Ella es buena". Se había escuchado con el revés del oído, la parte de la verdad que oye la voz en su nacimiento, en la garganta misma

(y de chica le gustaba taparse las orejas y cantar o respirar fuerte; y cuando era bronquitis oír los rales, los silbidos como ranitas o lechuzas, después toser fuerte y toda la orquesta se recomponía poco a poco, temas distintos, preciosos, porque ella era

buena)

—Vámonos —pidió, colgándose de Andrés, aterrada.

El la miró, no dijo nada. Juan y Stella iban cortándose por la derecha, el cronista como a remolque. Los siguieron con esfuerzo porque todo el mundo peleaba por ver a la mujer que era buena, que venía de Chapadmalal. Clara se apretaba a Andrés, iba con los ojos cerrados, respirando a jadeos. "Canté con ellos, recé con ellos. He firmado, he firmado." Era estúpido, pero algo en ella

un pedazo de ella liberándose por un momento del resto había asumido el ritual, tragado la hostia, consentido.

—Tengo miedo, Andrés —dijo muy bajo.

El pensaba por encima de eso, pero desde eso.

"Armagedón", pensó. "Oh pálida llanura, oh acabamiento."

—Tené cuidado con ese petizo de la izquierda que tiene cara de chorro —dijo el cronista codeando a Juan—. Vas por la calle como alelado. Vos y tu paquete. Ojalá que el petizo te lo chorreara. Ya que hay carteristas, que venga un coliflorista. Ah, lo que me gusta

pase, señora

encontrar palabras bonitas.

¿Qué era eso de la eutrapelia? Pero vos sabés

sí joven, el santuario

está AYI

que el Dire odia el estilo, lo considera, bueno, lo considera justamente la eutrapelia del periodismo. Cree en los *headlines* invadiendo todo el texto, en un estilo *All American Cables*. ¡No me deja escribir bien, che! Es tétrico.

—Qué entenderás vos por escribir bien —dijo Juan—. Y además dejáte de distraernos con eso. Vinimos a mirar la cosa y la vamos a mirar. Stella, pasá entre esas dos robustas paraguayas. Estilizáte, nena, que a vos ningún Dire te va a decir nada.

—Sos un mal amigo —dijo el cronista—. Pero haceme acordar después. Te explicaré lo que pienso del estilo.

Veían ya las pértigas que sostenían las lonas del santuario. Les quedaba por franquear la parte más difícil, la guardia pasiva de cientos de mujeres plantadas como postes, apoyadas unas en otras, compartiendo la espera, el olor espeso, los murmullos. Con un gesto, Andrés señaló hacia un lado en el momento en que estallaba un grito de niño. Se abrieron paso hasta ver, el chillido los guiaba. Había un banquillo donde tenían sentado a un pibe de unos ocho años; dos hombres arrodillados lo sujetaban por los hombros y la cintura. Un paisano de ojos rasgados y jeta brutal estaba plantado a un metro del chico, con una aguja de colchonero apuntándole a la cara. La iba acercando poco a poco, dirigiéndola primero a la boca, después a un ojo, después a la nariz. El chico se debatía, gritando de terror, y en su pantaloncito claro se veían las manchas de los orines del miedo. Entonces el paisano se echaba atrás, impasible, y los presentes murmuraban algo que Andrés (el único que había adelantado para ver bien la escena) no entendió. Una cosa como

En medio de en medio de en medio de en medio
a menos que fuera
Enemigos enemigos enemigos enemigos

Juan y el cronista, sospechándose algo, tenían del brazo a las mujeres y no las dejaban avanzar.

—Qué hijos de mil putas —dijo Andrés, agarrando a Clara y abriendo la marcha hacia el lado del santuario.

—¡Estás blanco como una hoja! —dijo Stella.

—Aclará qué clase de hoja —dijo Andrés, sin mirarla—. Por lo general las hojas son verdes.

—Filólogo hasta el óbito —dijo el cronista—. Che, oigan la música.

Una cortina de macizas espaldas los detenía a cinco metros del santuario Azul negro azul rojo verde negro

y nada de empujar o me permite señorita o paso a la autoridad

—Todo es tan confuso —murmuró Juan—. Tan sin estilo.

—El estilo ha muerto —dijo Andrés.

—Viva el estilo —dijo el cronista—. Che, oigan la música.

Como oírla la oían. POETA Y ALDEAAAAANO. “Que la

parió", pensó el cronista. "Qué razón tiene Juan. Tan sin estilo. ¿Cómo puede concebirse la unión de estas negras cotudas velando el santuario con esa jalea de manzanas von Suppée? ¿Qué hace la Frigidaire en el almacén del pampa? ¿Qué hacemos aquí nosotros?

—Son los violines más diarreicos que he olido en mi vida —dijo Juan—. Dios mío, esto es una locura. ¿Por qué no les tocan tangos?

—Porque les gusta esto —dijo el cronista—. ¿No ves que la pobre gente ha descubierto la música vía cine? ¿Te creés que esa asquerosidad llamada *Canción inolvidable* no hizo lo suyo? El hueso de Tchaikovsky, che, la pizza y Rachmaninoff.

—Lleguemos de una vez —pidió Clara—. No te creas que voy a aguantar mucho más. Me hundo en la tierra a cada paso, estoy muerta de sed.

—Muerta de sed al pie de la pirámide —dijo el cronista—. Tópico pero delicado.

¡Muerta de sed al pie de la pirámide!

—Ecco la imagen misma de la Patria!

—Del Egipto a secas —dijo Andrés—. Señora, si me permite vamos a pasar.

—Por mí pase —dijo la señora—. Nadie le dice que no.

—En efecto, no he oído tal cosa —dijo Andrés.

—¿Cómo dice?

—Nada, señora. *Just a little tune*
lookin' at the moon
catapúm catapúm.

—Nunca faltan graciosos —dijo la señora.

Después de eso les tocó un matrimonio eslavo, que iba en la misma dirección que ellos pero se las arreglaba para dar la impresión de que lo hacía en sentido contrario. Y después —oh, sucesiones, oh A, B, C, de las cosas— ocurrió que embocaron mal el santuario y fueron a dar a la pared de arpillera que miraba hacia Rivadavia, siendo que

como en las pilas de discos
las cajas de herramientas
las carpetas de papeles

la entrada estaba del otro lado, del lado de la pirámide
DONDE DESDE LO ALTO VEINTE SIGLOS NO OS CON-
TEMPLAN
y se abría sobre el próximo y movido horizonte de la calle Hipólito Yrigoyen.

—Me han jodido el coliflor —decía Juan a Stella que andaba felicísima—. Es lástima, porque si lo llegás a ver cuando estaba recién comprado, seguro que se te refresca el alma.

—Te podés comprar otro mañana —dijo Stella.

—Claro. Como Cocteau a Orfeo: "Mata a Eurídice. Te sentirás mucho mejor después".

—Bueno —dijo Stella—. Yo, en realidad, lo que quise decir...

—Sí, naturalmente. Ahora que no siempre pasa uno por el mercado del Plata en el momento preciso en que sale a la venta un coliflor así. Fijáte que hacen falta miles de factores en perfecta coincidencia. Si mi colectivo me deja en esa esquina dos minutos después, me pierdo la compra. Lo sé porque cuando lo alcé en mis brazos

—Manfloro de mierda —dijo claramente una voz educada entre la gente.

Arrorro mi coli
arrorro mi flor
Sí
realmente lo alcé en mis brazos, y justo entonces una señora se lo quedó mirando con una envidia ———— ya ves, miles de factores.

—Che, empujen un poco —dijo el cronista que venía detrás y resoplaba—. Qué noche, hermanito. Yo estaba en mi café y vienen ustedes y ahora pasa esto. Yo hubiera jurado que se entraba por Rivadavia. Hasta creo que lo puse en mi nota.

Flanquearon el santuario
REPICANDO TANGOS VAS POR LAS VEREEEDAS—
y pudieron llegar juntos hasta el terraplencito de la

—¡Che, Minguito! ¿Adónde estéa?

—¡Atrás de la Piramidéa!

gloriosa inmarcesible jamás atada al jeep de ningún vencedor de la tierra, columna de los libres sitial de los valientes

Y LOS MONTONEROS
ATARON SUS CABALLOS A LA PIRAMIDE

Alzaga, a morir
Liniers, a morir
Dorrego, a morir
Facundo, a morir
Pobrecito el finadito
Mista Kurz, he dead
A penny for the old guy
Pobrecita la pastora
que ha fallecido en el campo
Crévons, crévons, qu'un sang impur
Abreuve nos fauteuils
PROVINCIAUX

—Sí, tiene que haber sido una buena compra —dijo Stella.

Un perro, casi invisible entre la columnata oscilante de los pantalones y las medias, olió los zapatos de Stella. Andrés y Clara se les habían adelantado y daban ya la vuelta contra una arista de la pirámide. "Han rellenado el terraplén para poner el Santuario", pensó Juan. "Cuando todo esto se acabe la plaza va a quedar horrible." La tierra estaba más blanda en esa parte y él se tambaleó, tuvo que apoyar la mano libre en la pared de la pirámide. Entonces vio a Abel mezclado con la gente a su izquierda, bastante atrás. Sólo lo vio por uno de esos vaivenes de la multitud, como en medio de una conversación múltiple de repente cae un silencio instantáneo,

"Pasa un ángel", dice la abuelita,

un pozo de aire que dura, que hay que romper inventando la primera palabra, el golpe de timón que te saca del agujero. "Otra vez ése", pensó Juan, no queriendo reconocer la inquietud que le venía.

—Por fin —dijo Stella—. ¡Uf, qué calor! Y adentro estará espantoso.

—Creo que sólo dejan entrar por grupos —dijo Juan—. A lo mejor han puesto refrigeración.

Le hubiera gustado decirle a Andrés que acababa de ver a Abelito. Pensó que acaso estaba equivocado. Pero esa cara pálida, ese pelo engomado. Y el mismo traje que tenía en el café, con hombreras puntiagudas. "Pobre Abelito, pensar que voy a tener que romperle la cara apenas se me haga el loco." La arpillera del santuario tembló como si desde dentro le dieran un aletazo. Ahora todos ellos formaban parte de un grupo que entraría en dos o tres turnos más. Los reflectores se concentraban en ese sector, colgados de altas pértigas mandaban la luz entre la niebla y el humo, marcando en las caras una tiza sucia, sombras amarillentas y cansadas.

—Atenti al piato —advirtió el cronista, mostrándoles un candidato que surgía entre la gente, más allá de la entrada del santuario. Debían haberlo subido a una mesita o una tarima; apareció bruscamente, payaso blanco bajo las luces. Un silencio caliente lo envolvió, perforado por los gritos y los cantos más lejanos, la indiferencia de los que no lo veían.

—Ahora es el momento de comprender la salida —dijo el candidato con un ataque mecánico y una voz de urraca—. Nos hemos pasado la vida tratando de explicarnos la entrada, los caminos que conducían a la entrada, los requisitos de la entrada, la razón de la entrada. ¡ERA EL DESGLOSAMIENTO DE LA ENTRADA!

"Tened ustedes confianza en mí. Vuelvo del viaje como un nauta que desdeña las brújulas,

porque en lo profundo de su pecho las estrellas de la verdad

le mostraban la ruta."

—Que va a Calcuta —dijo Juan bastante alto.

—Por Dios calláte la boca —dijo Clara pellizcándolo hasta hacerlo saltar.

—Conciudadanos —dijo la urraca—

esta es la hora de la salida, *who killed Cock Robin?*

esta es la hora del trabajo,

la comunión con la reliquia ha terminado para vosotros

(y de golpe se dieron cuenta de que el tipo no hablaba para ellos sino para la columna que salía del Santuario y se cortaba hacia el lado del Cabildo)

pero se la llevan con ustedes en el corazón

El corazón no tiene huesos. "Le vendría bien tenerlos", pensó Andrés. "Mal hechos para la vida que nos arman. La piel y los huesos, *poveretti.* Huesos, blindaje, quitina, y adentro la piel, como un forro de casco."

—¡Y ADEMAS QUIERO DECIR QUE EN EL ALTAR DE LA PATRIA!

hipo

" " " " " " (con una voz de bocina) quedan depositados nuestros

Hearts, again?

nuestros humildes

(De ellos será el cielo)

sacrificios

(Aquí te bandeaste: salió la vanidad, esa naricita en punta)

¡¡ynosdaráfuerzasparacontinuaradelantehastaelfinal

VIVAVIVAVIVA!!

—No semos merecedores —dijo el cronista— de una oratoria de tan excelsa alcurnia. Profundidad de conceptos. Como diría el Dire: inconmensurable.

—Había momentos buenos —dijo Clara—. En realidad usted no tiene por qué aplicar Demóstenes al hombre de la Plaza de Mayo. Estilos caducos a necesidades nuevas. Me parece que Malraux ha señalado muy bien que hay una hora en la que las artes prefieren ser tomadas por regresivas antes que seguir copiando módulos desvitalizados, y

es lo que pienso demostrar a fondo en el examen, si me toca la bolilla cuatro, ojalá.

—Está muy bien —dijo admirado el cronista—. Yo tampoco creo en las metopas. Pero el tipo no dijo nada. Claro que peor hubiera sido que nos hiciera creer, técnica ayudando, que había dicho algo.

ENTONCES DE LOS PARLANTES SALIO UNA PARTITA DE JUAN SEBASTIAN BACH, Y EL VIOLIN SE OIA POR MOMENTOS ENTRE LOS VIVAS Y LOS COMENTARIOS

—Mirá qué lección de estilo —dijo Andrés, riéndose sin ganas—. No te digo que en tiempos del viejo la gente se arrodillara al oír esta música, y pienso que a nuestro parecer todo tiempo pasado no debería ser mejor. Pero lo que buscamos entender por estilo, eso, esa cosa ubicua, esa afinación perfecta en un violín cuyas cuerdas suenan y deben sonar diferentes, eso no existe más, y solamente nos queda un baúl lleno de cosas mezcladas, y es hora de vestirse y salir para la fiesta.

—No sos muy novedoso —dijo Juan—. Después de *The Waste Land* creo que todo ha quedado dicho. El orador estuvo muy bien. No dijo nada y lo vivaron. Era perfecto. Nosotros, los que deberíamos decir algo, aquí estamos como ves hablándonos bajito por miedo a que nos muelan a palos. El orador encaja mucho mejor que nosotros.

—Seguís broncoso —dijo el cronista—. Acordate que después te tengo que explicar mi *begriff* del estilo. ¿A los perros los dejan entrar también?

—No creo —dijo Stella—. Pondrían todo a la miseria.

—Pero es justo —dijo Clara—. Los huesos son para los perros.

—Oh dulce, epigramática, sutil —dijo Juan—. Bueno, creo que esta vez nos va a tocar. Ahora sabremos si la nota del cronista era fiel retrato del Santuario. Pocas veces se tiene oportunidad de cotejar el periodismo con la realidad.

—Bah, no cambié nada más que las cosas importantes —dijo el cronista—. Y me olvidé de hablar de los perros. Es increíble la cantidad que hay cerca del Santuario. Mirá ese fox-terrier, ahí, ese lamebotines. No sé por qué pero no me gustan los perros entre la gente. Se vienen abajo, se contaminan.

—Toman un aire implorante que deprime un poco —dijo Andrés—. Cuidado, corazón, estás metida en el barro hasta el tobillo. —Cerró los ojos, parpadeó con rabia, la luz le caía sobre la cara como una sémola caliente, y alrededor del Santuario la niebla no alcanzaba a filtrar ese ataque rabioso. Se preguntó si Juan habría visto a Abel, su paso furtivo por el fondo de una fila de obreros acantonados con la alegría de todos los gremios que comparten una CITA DE HONOR.

—Che, oí esto —dijo el cronista, encantado de acordarse—. Me lo contó un fotógrafo amigo. Oílo bien que como lección de estilo es de primera. Una parejita fue a hacerse fotografiar, y a la semana cayó a ver las pruebas. Lo pensaron y al final eligieron una de las fotos. La chica le dijo al muchacho: "Me parece que vos no estás del todo conforme..." Y el tipo, medio cortado, le contestó: "Sí, la foto es linda, y vos estás muy bien, pero lástima que a mí no se me ve el distintivo y la Birome".

—¡LA SESTA! —chilló un canillita, y se le desbandaron los diarios en un minuto. Ahora estaban delante de las lonas de entrada (una salpicada de algo negro, alquitrán o cola) y otros en las columnas se entretenían con el diario. Un perro aulló cerca, todos se rieron al mismo tiempo, las luces vacilaron, crecieron de nuevo. Los parlantes tocaban una de las Rapsodias Húngaras de ya se sabe. "Es raro que Abel ande aquí", se dijo Andrés mirando a su espalda. "Era él, estoy seguro. Y Juan se lo encontró antes de cenar."

Ayer lo hicieron como de costumbre, para regresar a la casa en completo estado de ebriedad. A poco de estar en el interior de la habitación, según refieren algunos vecinos, se trabaron en una violenta discusión que no tardó en degenerar en una pelea a puñetazos, durante la cual Pérez se apoderó de una cuchilla con la que atacó a su antagonista, infiriéndole diez feroces puñaladas en distintas partes del cuerpo, que le hicieron caer sin vida.

—Qué bárbaro —dijo la señora—. Mirá, Estercita, las cosas que pasan.

—¿Está en el diario? —dijo Estercita, que era bizca.

—Todo, con pelos y señales. Pobrecito, ya nadie está seguro hoy. Si no fuera por Dios estaríamos todos muertos.

—Oí lo que tocan —dijo Estercita—. El disco que tiene la Cuca. Se lo regaló el hermano del novio, que tiene negocio. Grabado por Costelánes. Divino.

—Sí, clásico —dijo la señora—. Como lo que tocó la del ocho el sábado cuando estábamos de su tía.

—¡Ah, tocaba divino! ¡Qué grandioso! Si yo tendría un combinado me la pasaba oyendo clásico. ¡Qué divino! ¡Oí el violín!

—Es muy grandioso —dijo la señora—. Parece el claro de luna.

—De veras —dijo Estercita—. Es casi igual solamente que el claro de luna es más romántico.

—Joder —dijo el cronista—. Y ahora adentro, hijos, que es nuestro turno. Agárrense todos del brazo, y ojo que no se les cuele un perro en el bolsillo.

Entraban cuando se oyó a otro orador que despedía a la columna saliente. "Me parece que habla en verso", pensó Andrés. "Pero eso ya es una manía."

"Los dioses", pensó Juan, y se acordó:

> Los dioses van por entre cosas pisoteadas, sosteniendo
> los bordes de sus mantos con el gesto del asco.
> Entre podridos gatos, entre larvas abiertas, acordeones,
> sintiendo en las sandalias la humedad de los trapos
> corrompidos,
> los vómitos del tiempo
>
> En su desnudo cielo ya no moran, lanzados

fuera de sí por un dolor, un sueño turbio,
andando heridos de pesadilla y légamo, parándose
a recontar sus muertos, las nubes boca abajo,
los perros con la lengua asiria rota.

Yacen sin sueño, amándose con gestos de sonámbulos,
mezclados en yacijas y esponjas, entre besos
oscuros como un llanto,

atisbando envidiosos el abismo
donde ratas erectas se disputan chillando
pedazos de banderas.

—¡Silencio!

—O.K., O.K. —dijo el cronista resentido, y el guardián lo miró fijamente.

—Menos okéi y más respeto, señor. Esta es la casa de la adoración. Pongasén en fila de a uno, formando cola. Usté lo mismo, joven. Señora, dije formando cola. ¡Silencio!

En la penumbra, tanteando temerosos el suelo blando (como si el recinto de arpillera bastase para dar al suelo una calidad distinta, casi amenazadora), los quince presentes se pusieron en fila. Casi no se veía, pero el guardián apuntaba al suelo con el haz de una linterna. Desde afuera llegaban ladridos

y un lienzo tembló como si un perro enorme se rascara

voces, una especie de melopea ("Ahora el hijo de puta canta, encima de perorar en décimas", pensó Andrés furioso, pero sabiendo que su rabia era por Abel y que la transfería al orador; aunque ni siquiera por Abel, por la circunstancia de haber sabido cerca a Abel: más bien

un deseo de tener una razón de enfurecerse (total, Abel,

¿qué?), y de hacer algo. "Pero ése es el gran problema, oh Arjuna: hacer algo, y por qué.")

La linterna apuntó al techo y era curioso ver cómo el haz blanco daba en la arpillera perforándola, se veía seguir la luz al otro lado (porque los reflectores de fuera iluminaban el contorno pero no el Santuario) con una débil columna que copiaba los movimientos de la columna interior. En el punto de intersección de la arpillera, la luz se aplastaba en un disco brillante; al oscilar parecía como si dos reflectores enemigos se buscaran

pero el de fuera era más débil

y en el plano de la arpillera se unieron ferozmente, siguiéndose uno a otro, acoplados, mordiendo la lona. Del haz inferior emanaba un resplandor suficiente para mostrar la figura del guardián, la fila de los asistentes, un cajón negro cuadrado con cuatro patas que lo alzaban hasta un metro sesenta del suelo. Con tapa de vidrio (en la tapa se reflejaba débilmente la lunita de arpillera, su correr por el techo; era lindísimo).

—Pueden avanzar de uno en fondo —dijo el guardián bajando de golpe la linterna (que corrió como un látigo por el cuerpo de la fila) y enfocando la luz en el interior del cajón—. Cuidado con el suelo que está refaloso.

Stella fue la primera en pasar, con todo derecho. Juan se divertía (sin divertirse en modo alguno, con una diversión cutánea y para llenar la situación) viéndola pararse al lado,

asomándole la lengua, la cartera recogida contra el pecho, en puntas de pie

estremecidísima, lunada por el reflejo del vidrio, preciosa, adoratriz sin vocación, osteófora, suplicante desocupada, mirona por decreto de natura .

VAYA DANDO LA VUELTA, SEÑORITA.

Había un algodón, y el hueso encima. La linterna le sacaba unas chispitas, como de azúcar. Todos lo miraron

DANDO LA VUELTA, NO SE ME DUERMA

y se lo veía muy bien, a pesar de que era casi tan blanco como el algodón, pero contra él parecía casi rosado, con las puntas de un amarillo muy claro

AVISE SI VA A QUEDAR TODA LA NOCHE

Al girar, pasando el cajón, la fila embocaba la salida, un pedazo de arpillera colgando suelto. El cronista, que venía cola, se demoró al lado del hueso estudiándolo despacio. Entonces el guardián le apagó la linterna y fue preciso salir y toparse con los otros, detenidos delante del escabel de los oradores. El que les tocaba a ellos era colorado y barrigón, con chaleco cruzado y cadena de oro.

—Ojalá hable bien —dijo Clara—. Cosa de llevarnos la impresión completa.

La cola se había aplastado al salir, y los acorralaba contra el escabel. De arriba cayó un diluvio de luz (a veces los reflectores se movían) clavándolos como bichos en cartón. Lo que hicieron fue agrumarse, Andrés y Stella, Clara y Juan, con el cronista en el medio. Un tambor rodaba a veinte metros, se oían cantos de mujeres, y todos tenían los ojos puestos en el orador que esperaba alguna cosa.

—Pero no hablaré —dijo el orador, alzándose en puntas de pie (era chiquito y cantarín)— y en cambio —apuntando con un dedito rosa al santuario— pido un minuto de silencio —Nadie hablaba— en homenaje al gran —pausa indecisa— al más grande de los —y nadie hablaba— al único, único!

—Esto nos tenía que pasar a nosotros —dijo el cronista—. Uno que espera una arenga vibrante y se encuentra con esta plastra.

—Silencio —dijo un señor de corbata negra.

—Silencio —dijo Andrés—. Un minuto justo.

—Por favor calláte —rogó Stella, mirando para todos lados.

El orador se alzó de nuevo en puntas de pie, y agitó los brazos como para espantar mosquitos. "Cuenta los segundos igual que un referí de box", pensó Juan. El orador abría y cerraba la boca, y los asistentes atendían expectantes, pero ya se alzaba el pedazo de lona suelto y empezaban a salir del santuario los del turno siguiente, de modo que el apretujamiento en torno al escabel se hizo mayor y se oyeron rumores de protesta, acallados bruscamente por un terrible revoleo de brazos del orador. "Ahora sería el momento de encajarle una patada al banco y mandar a la mierda a este pedazo de bofe colorado", pensó

Juan. Apartó a Stella para tener un claro, y se disponía a hacerse el empujado por los que seguían saliendo del santuario, cuando el orador soltó algo entre alarido y clamoreo, y se quedó rígido, con los ojos casi en blanco, las manos tendidas hacia adelante (mientras la cadena de oro se balanceaba en la barriga).

—¡Ah, un minuto! —gritó—. ¿Qué es un minuto cuando todos los siglos no bastarían para callar y humillarse frente a este testimonio

OIGA, ¿PERO USTE SE CREE QUE YO TENGO LOS PIES DE CEMENTO ARMADO?

frente al cual, señoras y señores,

—Rajemos —dijo el cronista—. Esto se vuelve discurso, ojo.

la grandeza de los más grandes

SACAME EL CODO DE AHI, TE LO PIDO POR LO MAS SAGRADO

y las potestades que en el curso de la historia se arrogaron la supremacía y la majestad, porque ya es hora de decirlo; los ARGENTINOS

—Salió la palabrita que todo lo arregla —dijo Andrés—. Vamos, ahí hay un claro. Sigan a ese perro lanudo que sabe lo que hace.

El perro los sacó fuera en un instante, y el cronista se animó a acariciarle una oreja, agradecido. El perro le tiró un tarascón sin resultado.

En el *Bolívar* se sacaron un poco el barro y el cansancio. El mozo, un gallego cejijunto, hablaba de la niebla como de un enemigo personal. Pero la tierra era peor, hubo que rascar a cuchillo los zapatos de Stella, y a Clara le daba vergüenza mirarse las medias. El mozo era estupendo; para él solamente la niebla, esa cosa. Traía los imperiales y los exprimidos de limón, y dale con la niebla.

—Pero si no es niebla —dijo el cronista—. Nadie sabe lo que es. Están averiguando en laboratorio.

—Además está lo del yaguareté —dijo el mozo, que conocía al cronista—. ¿No leyeron? En Colonia Cerrillos, en

Entre Ríos. Un yaguareté que tiene asustado a medio mundo. Algo bárbaro.

—Todo felino es feroz —dijo Andrés—. El yaguareté es felino.

—¿Es el yaguareté feroz? —dijo Clara.

—Sí —dijo Stella—. Todos los felinos son feroces.

El cronista y Stella hablaron del hueso. El mozo hacía escapadas hasta el mostrador y otras mesas, y se volvía a charlar con ellos. Como la mesa era larga y estaban

Clara con Juan (pero entre los dos una silla con la coliflor y la cartera de Clara) y Andrés, pegado a Juan, llenando una punta y un lado,

de modo que en la otra punta y comienzo del otro lado charlaban Stella y el cronista (con el mozo metiendo la nariz entre ambos)

y había un ruido alto y tenso, que la niebla traía desde afuera amplificado y a la vez disuelto, ruido solo, no ruido de, y dentro del café siempre las cucharitas haciendo sus campanillas a lo *Lakmé* y el gritar de los gallegos con órdenes precisas SEIS SANDWICH SURTIDOS, DOS QUE CONTENGA ANCHOA!

Andrés no estaba seguro de poder hablar con Juan sin que Clara los oyera. Clara miraba del lado del Cabildo, mole fofa en la niebla, faroles rojizos, balcón con sombras. Un balcón lleno de nieblas y de sombras.

—Me imagino que también lo viste —dijo Andrés.

—¿A Abelito? Claro que lo vi —dijo Juan—. Era bien él. Van dos veces esta noche.

—En la Casa dijiste que lo habías visto. Pero encontrarlo de nuevo aquí ya me da qué pensar.

—Vos sabés que está loco —dijo Juan—. Puede ser coincidencia.

—No me lo veo a Abel en la plaza de Mayo —dijo Andrés—. Si vino era porque nos siguió.

—Déjalo que se divierta.

"No me gusta que se divierta a costa de Clara", iba a decir Andrés.

—Yo que vos me decidiría a liquidar el asunto —dijo Andrés.

"Es triste", pensó Andrés.

"Todo niebla", pensaba Clara. "Vinimos niebla, hablamos niebla, pero ni siquiera es niebla".

—¿Verdad que no es niebla?

—No —dijo el cronista, dándose vuelta—. No se sabe lo que es. En el diario estaban trabajando en el asunto.

—No importa —dijo Juan—. Está loco. Qué me importa.

—Oí esto —dijo Andrés—. Las almas ardientes son las más abiertas a la ira. No han nacido iguales; son como los cuatro elementos de la naturaleza, el fuego, el agua, el aire y la tierra.

—¿Qué es eso?

—Séneca. Lo leí esta mañana. Pero también Abel.

—¿Abel? Abel no tiene un alma ardiente, pobre. Sus ardores son como su ropa, de fuera. Cambia de ardor y de corbata.

—No estoy tan seguro —dijo Andrés—. El seguimiento, el espionaje, son tareas que exigen constancia.

—O estar aburrido.

—Peor. Todo crece, entonces.

—A lo mejor —dijo Juan, mirando de lleno a Andrés— lo que está haciendo Abelito es estudiar para *boy scout*. Cumple sus trabajos prácticos.

—Está bien —dijo Andrés, levantando los hombros—. Si no te gusta hablar de eso, conforme.

"Sí me gusta", pensó Juan dándose vuelta para sonreír a Clara. "Me gustaría seguir hablando de Abel, defenderme de Abel junto con Andrés."

—Todos esos pumas y gatos monteses son animales muy contraproducentes —dijo el mozo, yéndose. El cronista asentía, ponderativo, y Stella tenía la piel de gallina con la historia del yaguareté.

—Estoy cansada —dijo Clara, estremeciéndose—. No

tengo sueño, no podría dormir. Pero nadie habla conmigo, solita como un personaje de Virginia Woolf, rodeada de luces y voces como un personaje de Virginia Woolf, y tan cansada.

—Vamos a casa —dijo Juan, inquieto—. Nos metemos en un taxi, y los llevamos a Andrés y Stella. Al cronista lo dejamos en el diario.

—Es que no podría dormir, estamos en capilla y soñaré los horrores, mis pesadillas especiales. Vos sabés bien mis pesadillas. Modelos A y B. Modelo A para las vísperas. Modelo B para los *lendemains.* —Se pasó las puntas de los dedos por la cara, como buscando telarañas.— No, Johnny, no vamos a casa. Vamos a amanecer en la ciudad, a caminar, a cantar viejas canciones.

—Es verdaderamente un personaje de Virginia Woolf —dijo el cronista—.Conmigo no cuenten; tengo que dormir, como decimos en el *foyer* del club.

(Il était trois petits enfants
qui s'en allaient glaner aux champs
s'en vinrent un soir chez un boucher:
"Boucher voudrais-tu nous loger?"
"Entrez, entrez, petits enfants,
y' a de la place assurément.")

—Tomáte otro exprimido cítrico —dijo Andrés—. Así juntás material y causticidad para tus notas. Che, qué bonito es eso que tarareás.

"Qué hermosa es con los ojos cerrados", pensó.

(Ils n'étaient pas sitôt entrés,
que le boucher les a tués,
les a coupés en petits morceaux,
mis au saloir comme pourceaux...)

—Clara —dijo Stella, tocándola—. Y decís que no tenés sueño. Pero esta mujer es loca.

—No duermo —dijo Clara—. Me acordaba... Sí, la canción era también como una pesadilla. Qué horrible la infancia, Stella. ¿No tenías miedo de chica, un miedo incesante? Yo sí, y cómo vuelve cada noche. Sólo esas imágenes de infancia perduran fijas y brillantes. O mejor, la sensación de que eran fijas y brillantes. Todo lo que veo ahora está como el Cabildo, mirálo, un cuajo blanquecino entre la niebla.

—Está muy bien lo que decís —aprobó Juan, mirándola.

—A lo mejor eso no es niebla —dijo Andrés, suspirando—. A lo mejor, para seguir la idea de Clara, es simplemente la mayoría de edad.

—Las cosas tenían volumen, terminaban, relucían —dijo Clara—. Ahora lo único que hacemos es saber que tienen todo eso, y ponérselo como un duco al mirarlas. Yo he llegado a imbecilizarme de tal manera que aplasto mis sentidos, no los dejo actuar. Cuando espero a Juan en una esquina, y sabe Dios si el gusano me hace esperar, me ocurre *verlo* dos, tres veces; verlo, sí, con esta cara que tiene, su manera de moverse. Me volvió a ocurrir esta noche.

—Es tan vulgar que cualquiera lo dobla —dijo Andrés.

—No te rías, es bien triste. Es la sucia proyección de los conceptos, la máquina lógica. Un día esperaba una carta de mamá; el cartero las dejaba siempre en una silla del líving. Salí y había tres cartas. Desde mi puerta vi la de arriba (mamá escribía en sobres alargados), su letra grande y hermosa. Vi mi nombre, la ce redonda y panzona. Cuando la tuve en la mano, *vi;* no era un sobre apaisado, no era la letra de mamá, la ce era una eme.

—El deseo, linterna mágica —dijo Juan—. Pobre Clara, cómo te gustaría abolir los intermediarios.

—Me gustaría saber quién soy o quién fui. Y ser eso, no esta convención aceptada por vos, por mí, por todo el mundo.

—A mí me pasa lo mismo —dijo Juan—. ¿Por qué te creés que escribo poemas? Hay estados, momentos... Mirá, en la duermevela pasan cosas asombrosas: de golpe uno se siente como una cuña a punto de hacer saltar todos los obstáculos. Cuando te despertás (¿a vos no te pasa, Andrés?) te queda a veces como un saber, un recuerdo. Entonces mirás y ahí está la mesa de luz y encima nada menos que el reloj, y más allá el espejo... Por eso yo suelo andar triste de mañana, por lo menos hasta que almuerzo.

—Paraíso perdido —dijo Clara—. Che, pero todo eso que dijiste a mí me parece que es un sucio aprovechamiento de las ideas platónicas. A lo mejor en algunos sueños uno es capaz de asomarse a las Ideas.

—Ojalá —dijo el cronista—. Pero los sueños están más bien llenos de teléfonos, escaleras, vuelos idiotas y persecuciones nada estimulantes.

—Mirá —dijo Andrés— yo he sentido a veces algo parecido a lo que dice Juan, pero en vez de ser un resto del mundo de los sueños era algo mucho peor. Es así: una mañana abrí los ojos y vi el sol que asomaba. En ese segundo sentí un horror que era como una convulsión, una especie de rebelión de todo el cuerpo y toda el alma (ustedes perdonen estos términos). Comprendí, *viví* puramente el horror de haber perdido el paraíso, de estar en lo sublunar. El sol todos los días, el sol de nuevo, el sol te guste o no te guste, el sol saldrá a las seis y veintiuno aunque Picasso pinte *Guernica*, aunque Eluard escriba *Capitale de la Douleur*, aunque Flagstad cante Brunilda. Hombrecito, a tu sol. Y el sol a sus hombrecitos, día tras día.

—Joder —dijo el cronista—. Cada vez están más complicados.

—Bastante —dijo Stella—. ¿Por qué no nos vamos?

Clara, que miraba la vidriera que daba sobre Bolívar, hizo un gesto de sorpresa.

—Claro, vámonos —dijo Andrés—. *The night is young*, como sin duda han de decir en *London Again.*

—*London Again* no tiene palabras —dijo el cronista, ofendido—. Me parece bien que rajemos, che. Pero ahí está el chino, y de veras que me gustaría preguntárselo.

—¡Conoce un chino! —dijo Stella, *y realmente juntó las manos.*

—Es un chino mental —aclaró el cronista—. Un poco como Andrés, sólo que Andrés tiene china la dialéctica y este chino tiene chinas las formas de la conducta.

Andrés miraba a Clara, la vio buscar nada en la cartera, multiplicar los signos de la ocupación. Le pareció que Clara había palidecido.

—Dame lo die guitas, negro e'mierda —gritó el diariero de la esquina—. La puta madre que te remil parió, conchudo e'mierda, me cago en tu madre y en la puta que te recontraparió, cabrón hijo de puta.

—*Dixit* —proclamó el cronista, encantado—. Qué animal. Son los seis días en bicicleta de la puteada.

—También en eso somos campeones —dijo Juan—. El incremento de la puteada debe estar en razón inversa de la fuerza de un pueblo.

—No es tan sencillo —dijo Andrés—. Más bien un problema de tensiones. Lo que vos querés decir es que nuestra puteada es hueca, un relleno para cualquier vacío vital. Puteamos por nada, nos damos cuerda, nos tendemos un puentecito sobre eso que se abre a los pies y nos puede tragar. Entonces cruzamos sobre la puteada y el impulso nos dura un rato, hasta la próxima. En cambio el símbolo de Cambronne es formidable y Hugo lo vio bien claro. El tipo puteó en el punto extremo de la tensión, de manera que la puteada le salió como de una ballesta, con todo Waterloo atrás.

—Tomá, tomá lo die guita —dijo una voz aguda—. Tanto lío que hacés.

—Yo defiendo mis derechos —dijo el diariero.

—Déjenme que les presente al chino —decía el cronista.

—Por otro lado las tensiones existen aquí más que en otros pueblos —siguió Andrés—. Lástima que sean las negativas, las represiones.

—Ya sé, ya vas a salir con lo de siempre —dijo el cronista—. Si nos encamáramos más no seríamos tan secos de vientre, y todo eso.

—No es eso, psicoanalista de café exprés. Lo que insinué es un doble plano de nuestro putear; el inútil como razón, pero que nos estimula, y el necesario, nacido de tensiones trágicas (perdoná) que acaba de envenenarnos. Este tiene derecho a seguir, en el fondo es la tragedia y ya ves que mi adjetivo se sustantiva ahora macanudamente. ¿Qué es la tragedia? Una inmensa, atronadora puteada contra Zeus. No te creas que la tortura en la cabeza de Esquilo no deja de tener su segunda. Si Pascal le hace el *pari* a Zeus en vez de hacérselo a Tata Dios, estoy seguro que lo parte un rayo.

—Cada vez más neblina —les dijo el mozo que traía un café para Clara—. La de choques que van a haber. Ese señor de ahí parece que los conoce.

—Sí, es Salaver —dijo el cronista—. Che, vení, viejo. Les presento al chino, quiero decir a Juan Salaver. Salaver, un amigo, la señorita, la señorita Stella, un amigo. Sentáte, Salaver, y charlamos un poquito antes de irnos. ¿Qué andás haciendo?

—Yo, nada —dijo Salaver—. ¿Y vos qué hacés?

—¿Yo? —dijo el cronista—. Yo escribo *Paludes*.

—Ah —dijo Salaver, que había dado la vuelta a la mesa estirando una mano cereal y más bien sucia—. Está bien.

—¿Usted es periodista? —preguntó Stella, que lo tenía ahora a su derecha.

—Sí, es decir, yo soy notero —dijo Salaver—. Esta noche ando juntando material para una nota sobre

Y EN LA CRUZ DE MIS ANELOS

(el tipo debía tener vegetaciones, venía cantando por Yrigoyen y enfatizó la voz al pasar delante del café)

YENARE DE BRUMAS MI ALMA
MORIRA EL AZUL DEL CIELO
SOBRE MI DESVELO
VIENDOTE PARTIR

—Oh Argentores, oh Sadaic —dijo Juan, estremeciéndose—. Pero fijáte que la cosa es simbólica. La niebla llega ya hasta el alma de ese tipo. Claro que él la llama "bruma", pero no todos tenemos su cultura.

—... el espíritu religioso —dijo Salaver.

El cronista lo observaba con cariño, deteniendo su mirada en la calva de Salaver, en sus patillitas en triángulo, y su cara larga. "El chino", pensó. "Qué tipo grande."

—Bueno, hablemos de Eugenia Grandet —dijo, y le sonrió—. ¿Cuándo te vas a España?

—Si todo marcha bien, dentro de cinco cuadrados —dijo Salaver.

—Quiere decir dentro de cinco meses —tradujo el cronista—. A ver, explicáles a los señores.

Salaver sacó la billetera, de ésta un tarjetero, y de dentro del tarjetero un calendario en celuloide que por fuera tenía a una *glamour girl* con anteojos ahumados y una propaganda de la óptica Kirchner, y por dentro (que se doblaba en dos) un excelente encasillamiento de 1950. Año del Libertador General San Martín.

(y en esa fecha, en París, Yehudi Menuhin tocaba las sonatas de Bach para violín solo,
y en Padua estaba Edwin Fischer
y Arletty representaba "Un tramway nommé Désir"
(en París)
y en Barracas fallecía la señora Encarnación Robledo
de Muñoz
Y alguien, en un hotel, lloraba con la cara entre las manos pensando en las sonatas para violín de Prokofiev,
y un estanciero de Chivilcoy paraba un auto en la confitería de Galarce y Trezza, y ordenaba a su peón:
"¡A ver, Pájaro Azul, entrá a
comprar alfajores!"
y en Montreal llovía finito)

—Cinco cuadrados —dijo Salaver, y puso el calendario tiempo arriba, entre dos platos con nabos fritos.

—Ah —dijo Clara, distraída—. Claro.

—Bueno, en realidad es bastante claro —aprobó Salaver—. Ustedes saben que mi tía Olga vive en Málaga. Yo deseo encontrarme con mi tía Olga a efectos de concretar unos planes de residencia definitiva en la península.

"Habla en 5a. edición", pensó Andrés, y se acordó de una frase de Murena, un desconocido camarada de soledad, un antagonista en veinte cosas pero —— y esto, esto... —— aliado en muchas otras,

Al contribuir, mediante la perversión de la palabra, a que el hombre sea un desaforado espectador de circo, la prensa...

"Pero el chino no parece desaforado", pensó Andrés. "Solamente idiota, el pobre."

—A tal efecto —dijo Salaver— he ordenado el desorden, y creo que en el quinto cuadrado cabe Málaga. Hacia la derecha, abajo.

—Por el veinticinco o el treinta de agosto —dijo el cronista, mirando los cuadraditos llenos de cifras en rojo y negro.

—Pero no estoy seguro, porque el contraazar se presta a las peores cosas.

—Explicá lo del contraazar.

—Todo es azar —dijo Salaver—. Todo. Ya lo enseñaban los filósofos, y está en muchos libros. Entonces hay que irle en contra, y yo he inventado el contraazar que es un método de vida. Esto se explica así. Todos vivimos en los cuadrados. Lo primero que se debe hacer es fabricar un superazar para que el azar natural se encuentre de entrada en dificultades. Mi método es pinchar con un alfiler en mi cuadrado, todas las mañanas, mientras miro el techo. Se verifica la parte pinchada, si ya la pasamos no vale y se pincha de nuevo. Cuando se pincha en una parte que no hemos alcanzado, se observa el signo que convencionalmente designa el período de luz en esta parte de la tierra, y luego se piensa. Agua.

—Tomá —dijo el cronista, y le pasó su exprimido.

—Entonces se hace el segundo superazar, que es la parte más delicada. Si caíste en lo que será un (llamado) día, de aquí a eso llamado dos semanas, te ponés a pensar cómo vas a vivir ese pedazo del cuadrado. Primero la circunstancia física: si caerá agua, si el aire se moverá rápido o despacito, si tendrás que escribir un papel acerca de cómo una cantidad de materias combustibles se combustionaron en un sitio llamado Buenos Aires, o si el hombre calificado de Secre te dirá que debés preparar un informe sobre la natalidad. Pongamos que todo eso va a ocurrir. Vos postulás esas ocurrencias. Es el superazar. Entonces —y Salaver se enderezó— entonces te preparás el contraazar. Hablé de lluvia y viento; cuando llegue ese (llamado) día salís de traje claro, llueva o no;

hablé de incendio; ese día llegás al diario y escribís sobre Beethoven, aunque arda Troya o Albion House. Además no importa que no haya incendio y que no te ordenen escribir sobre la natalidad. Vos habías previsto el superazar, y lo hundís con el contraazar.

—Terminante —dijo Juan, encantado.

—¿No les dije que era grande? —dijo el cronista, que no había dicho nada.

—Me parece bien —dijo Andrés—. ¿Pero podrá usted embarcarse para Málaga?

—La cosa es posible —dijo Salaver—. Quinto cuadrado abajo derecha, más o menos fácil.

—¿Ah, sí?

—Los buques salen en días fijos —dijo Salaver—. Es una ventaja: el azar está superado en el aspecto más crudamente práctico del hecho de embarcar, que es el de no quedarse de a pie. Contra todo el resto se arma el superazar y se le faja encima el contraazar.

—Usted —dijo Clara, desganadamente— debería llamarse Salazar.

—En mi apellido hay también un signo que me concierne —dijo Salaver—. Soy un adelantado en el tiempo, mi propio destino me manda a mirar qué pasará.

—Muy interesante —dijo Stella, obsesionada con el calendario—. ¿No nos íbamos?

—Sí, aquí hace calor.

—Adiós —dijo Salaver, levantándose rápidamente—. He tenido muchísimo gusto.

—Adiós —dijeron todos.

Y ABEL ESTABA EN LA VIDRIERA

—Que pague el cronista en castigo por los cuadrados y la tía Olga —dijo Juan—. Admito que el tipo es bastante chino, si por eso entendés lo que entiendo yo.

—Se pagará a la inglesa —dijo Clara, y puso dos pesos en la mesa. "O estoy loca o es Abelito otra vez. Que Juan no lo vea, que Juan———"

—¡Fuera! —gritó el mozo, pateando a un perrito entre negro y azul que se cortaba hacia un nabito crispado en el suelo. Les dio el vuelto, los saludó cordialísimo, feliz por la patada y el chillido del cuzco.

Las mujeres salieron primero, el cronista terminaba su despedida del mozo, y la mano de Andrés tocó levemente el hombro de Juan que se le adelantaba.

—Sí, yo lo vi también —dijo Juan sin darse vuelta—. Qué le vas a hacer, él es así. Lo estupendo es cómo se hace humo en un segundo.

Andrés esperó al cronista.

—Hacerse humo es una expresión a meditar —dijo—. ¡Si justamente el humo es lo que mejor se ve! Ganarías fama proponiendo desde tu columna que los bomberos agradecidos levanten una estatua al humo.

—Lo haré —dijo el cronista—. Se la podrían encargar a Troiani. Pibe, la niebla se está espesando. Qué noche para caminar. Solamente nosotros... En fin. Hay que acompañar a los del examen.

Dos columnas de mujeres cruzaban hacia la Avenida de Mayo. Iban muy bien formadas, escoltadas por jóvenes con antorchas y focos eléctricos. En la niebla tenían algo de gusano de parque japonés que anduviera suelto, arrastrándose con movimientos lentísimos. Alguien gritó agudamente y Juan pensó

Pero Abel, ese estúpido, ahí, en las sirenas de las ambulancias por Leandro N. Alem. Pasándose el paquete al brazo izquierdo, apretó contra sí a Clara.

—¿Cómo te sentís, vieja?

—Bien, muy despierta, muy sabia, un poquito triste.

—Clara —dijo Juan en voz baja.

—Sí, ya sé. ¿Por qué te preocupás?

—No me preocupo. Es que me parece absurdo. Andrés también lo vio.

—Pobre Andrés —dijo Clara.

—¿Por qué pobre Andrés?

—Porque ve fantasmas.

—¿Y vos, y yo?

—Sí —dijo Clara—. Abelito está vivo. —Le vino un violento deseo de llorar. Si por lo menos la bolilla cuatro.

El cronista compró el diario y se pusieron a andar por Bolívar hasta Alsina. Caía una agüita caliente, mojadora.

—Esto es grande —dijo el cronista—. Aprobó diputados un proyecto de protección a la fauna silvestre.

Cuando llegaban a Paseo Colón, resbalando un poco en la bajada de Alsina, Andrés abandonó el brazo de Stella que siempre lo obligaba a remolcarla, y se fue quedando atrás, oyendo la voz aguda del cronista y los bordoneos coléricos de Juan, su manera de llevar a Clara como si se la fueran a quitar. Estaba absurdo, con el paquete y Clara, gritándole cosas al cronista, esperando a Stella que se les agregaba, dándose vuelta para mirarlo, para pedirle corroboraciones.

—Qué cansancio —murmuró Andrés—. Qué noche.

La luz de altos focos dibujaba los tobillos de Clara, su rápido andar. Probablemente llovería a la madrugada, con esas lluvias finas y calientes que desalientan. "¡No lo creo!", gritó Juan, parándose en la esquina. La luz bañó el pelo de Clara, la mitad de su rostro, y Andrés se detuvo a mirarlos, vio al cronista que hacía señas de que lo esperaran y corría a la vereda de enfrente desandando camino. Stella y Clara hablaban con Juan, se habían olvidado de Andrés en la sombra. "También yo soy testigo", pensó. "Darás testimonio... De qué, sino de mí mismo, y aún eso——"

La mujer salió de un portal y silbó suavemente. Era muy rubia, alta y flaca, con un vestido negro que le marcaba los senos. Silbó de nuevo, parada en la sombra, mirando a Andrés.

—Perdoname que no mueva la cola como un perro bien criado —dijo Andrés—, pero no me gusta que me silben.

—Vení —dijo la mujer—. Vení conmigo, lindo.

Andrés le mostró el grupo de la esquina, Stella que miraba hacia atrás. El cronista volvía con un paquete en la mano.

—Ah —dijo la mujer, cayéndosele la voz—. Me hubieras dicho.

—Qué le vas a hacer. ¿Siempre andás por acá?

—Sí, a veces. Me podés encontrar a la una en el *Afmún*.

—Bueno —dijo Andrés, con un gesto de adiós. La vio retroceder al portal, oscurecerse el rubio del pelo. "Vaya a saber", pensó. "Quien me dice que lo mejor no sería ir a emborracharme con esta pobre, en vez de..."

—¡Vinacho de primera! —gritaba el cronista—. Es la hora de la eutrapelia, viejo, la una de la matina. Andiamo á fare una festicciola en la plaza Colón, y que la poli esté sorda y ciega questa sera.

—¡Andrés! —gritó Stella, viéndolo llegar despacio con las manos en lo más perdido de los bolsillos—. Ratón solitario, venga con su gatita.

—Micifusa —dijo Andrés—. Sos el ángel que me protege de las tentaciones.

—Ah, conque era cierto —dijo Stella—. A Clara le pareció que estabas hablando con... —Se detuvo, confusa sin saber por qué. "Está mal que haya nombrado a Clara", pensó, pero su pensamiento no se enunciaba siquiera, se daba

Andrés gatito
rubia vinacho y la festicciola una puta voz Clara voz
como si enojada pero insensato gato maragato entonces yo
mis DERECHOS
ahora oh esos brazos flacos
él nunca
su calor su olor y adentro
en el amor y oh qué delicia

—Bah —dijo Andrés, inclinándose rígido (como siempre que se tienen las manos en los bolsillos, juego de bisagra dorsal) y besándola con ruido en el pelo. "A Clara le pareció", pensó, turbado, feliz. "Ella vio que estaba hablando con esa mujer." Clara caminaba escuchando el silencio interior, ese terciopelo que late en el fondo de los oídos, la resistencia de la noche del cuerpo a las estridencias de la calle y de las luces. Los otros la rodeaban, hablándose por entre su pelo, a través de sus oídos, de su piel. "Deep ribber", pensó, "my soul is on the Jordan". Le venían unos absurdos deseos de estar sola, de estar en los brazos de Juan, de oír a Marian Anderson, de leer una aventura de

Poirot, un artículo de César Bruto, de beber agua con limón, de soñar hermosos sueños, los de la primera mañana cuando entornando los ojos se ve que son las seis, delicia de estirar las piernas hasta el fondo, apretarse contra una espalda tibia y pesada, dejarse ir otra vez a lo hondo

y el buzo

pero el anillo y la cruel princesa

entonces el remolino sí una balada

—Estás triste —dijo Andrés. Caminaban por Paseo Colón, envueltos a trechos por jirones de niebla, viendo pasar autos y gentes, cosas ajenas y distraídas.

—No, es que la noche es para pensar —dijo Clara, un poco burlona.

—Perdón —dijo Andrés.

Ella le tocó un brazo con la punta de los dedos.

—No lo dije por vos. Habláme, ya sabés que...

—Sí. Pero no es lo mismo.

—¿Lo mismo qué?

—Lo mismo que querer de veras que te hable.

—No seas tonto. Ah, qué quisquilloso. Juan, Andrés está enojado conmigo.

—Lástima —dijo Juan, adelantándose hasta ellos—. Lo noble del enojo de Andrés está en ser sobre todo metafísico. Cuando se posa en un objeto pierde eficacia. Aquila non capit etcétera.

—Repugnante —dijo Clara—. Me has tratado de mosca.

—En vísperas de examen deberías recordar que en boca de Homero se vuelve casi un elogio. ¿Y Luciano, querida? Yo amo las moscas, me apena tanto cuando empieza el invierno y se van muriendo en los cristales, en las cortinas. Las moscas son la música de cámara de la fauna. Tú eres realmente la mosca perruna de la invectiva. ¡Mosca perruna, qué formidable! —Y acunando la coliflor se reía como un loco

(como un loco que se riera así,

y no es verdad)

y un diariero lo miraba en la esquina de Hipólito Yrigoyen, empezaba a reírse despacito, resistiendo.

—¡Mosca perruna! —aulló Juan, doblándose de risa—. ¡Es inmenso!

—Cómo será cuando beba de este Trapiche viejo —dijo el cronista, escandalizado—. Che, paráte y vamos, no seas chiquilín.

Andrés siguió unos pasos solo, después se dio vuelta a mirarlos. Los veía mal entre la niebla. Se acordaba del chico en Plaza de Mayo, la cara ansiosa y colgante de los que asistían al ritual. "¿Estaría ahí por eso?", pensó. "Es capaz, tiene la cara blanca de los que van detrás del horror." Se pasó los dedos por la cara húmeda.

—Traversemos a la dulce plaza de Cristóforo —mandaba el cronista—. Guarda el bondi. Stelita, su brazo. Sí, es Trapiche viejo, hay que volver a los cultos sencillos, a la eutrapelia.

El alto fantasma de espaldas brotó de golpe con sus pies envueltos por las figuras agitadas, la cruz, los torsos en trabajo. "Otro más de espaldas", pensó Clara. "Otro más mirando el agua de la nostalgia, la inútil senda de la fuga." Un perro le olía la falda, la miraba con blanda entrega. Le rozó el cuello hirsuto; estaba mojado, como Tomás cuando

Tomás su oso

lo dejaba olvidado en el sereno y de mañana, con el primer sol

"¡Clara, Clara, esta chica! ¡Para eso se le regalan juguetes!"

Y el horror, el remordimiento, Tomás helado, Tomás húmedo, mi Tomás empapado pobrecito toda la noche rodeado de duendes de repollos de lechuzas perdón perdón Tomás

yo nunca lo volveré a hacer

—El ministerio de Guerra parece de cartón —dijo Stella.

—Fina imagen —dijo el cronista.

Era raro, de todos modos, verlo a Andrés tan complicado, tan amigo de crear silencios —con lo incómodo que es eso en Buenos Aires— y hacerse el interesante dos pasos atrás de los otros

y la mujer tenía el pelo rubio; salió del portal bruscamente, escenográfica
o yéndose adelante y esperándolos luego, con aire de
monumento
"Como si él esperase algo de mí", pensó Clara. "Como si le debiera algo."

—Entonces vino y le puso una hormiga en la mano —explicó Stella al cronista—. Es terrible. Nunca se sabe lo que va a hacer. Tan traviesa.

—Los niños —dijo el cronista—. Trágicos.

—¡Oh, son tan ricos!

—Son la muerte —dijo el cronista—. Increíblemente sucios y salvajes. Ustedes los quieren con la piel, con la nariz, con la lengua. Pero si se piensa un poco...

—Todos los hombres son iguales —dijo Stella—. Después tienen un hijo y se babean.

—Yo no me babearía ni con la mejilla apoyada en el pubis de Gail Russell —dijo el cronista—. Che, hay que sentarse en un buen banco y meterle al drogui, de entremientra contemplamos a Colón y vemos el decurso estelar.

—Usted es más sensible de lo que parece —dijo Stella, interesada—. Se hace el irónico pero es bueno.

—Soy un ángel —dijo el cronista—. Por eso no temo que me caiga un niño. ¿Qué te pasa, negro?

Pero Juan miraba más allá, hacia los ligustros recortándose entre la niebla. Sacó el pañuelo, azotó el banco
Como Darío al mar
o era Jerjes?
y Clara se sentó suspirando de alivio, con Andrés a su derecha y haciendo sitio para Juan. Stella se puso en la punta y el cronista entre ella y Juan. Entonces Andrés se levantó de nuevo y lo mismo Juan, mirando los ligustros.

—Che, descansen un poco —decía el cronista—. Estamos en la plaza más linda, más céntrica, más dilapidada de Buenos Aires. Nadie viene aquí, apenas los amantes y los empleados del ministerio. Una noche vi a un negro besando a un chico como de catorce años. Lo besaba como si quisiera tatuarle el paladar. El chico se resistía un poco, le daba vergüenza ver que yo los palpitaba desde lejos.

—¿Y qué tenías que meterte? —dijo Juan—. No llevés el periodismo hasta el amor.

—Qué cosas dicen —se quejó Stella—. Besando a un chico, qué asqueroso.

—No crea, tenía su gracia —dijo el cronista—. Estaban muy estatuarios, lo que es siempre bien visto en una plaza. A ver, Juan, tu famoso tirabuzón.

—Ya no lo llevo más. Si vos no tenés, estamos fritos.

Pero el cronista tenía uno, sólo que le daba vergüenza sacar el enorme cortaplumas con cachas de hueso amarillento, siete en uno y solingen garantido.

—Hay que beber de la botella. Primero las señoras, y chinchín a Colón vestido de neblina. Stella, no sea tan melindres, haga como Clara que se le ve el pedigrí de una raza bebedora.

—Te va a quitar lo pegajoso de la niebla —dijo Clara, pasándole la botella—. La verdad que podía haber comprado vino blanco.

—No es propio —dijo el cronista—. No es en absoluto pertinente. Como pedirle a Charlie Parker que toque una mazurca. Ahora vos, Juancito. Che, pero si parecés un centinela. ¿Quién vive, Juan?

—Me gustaría saberlo —dijo Juan prendiéndose a la botella—. Creo que a Andrés también le gustaría saberlo. ¿Viste algo, Andrés?

—No sé. Está tan borroso. Creo que sí.

Clara se paró, mirando hacia la estación del Automóvil Club, siguiendo la forma confusa de la calle, las luces de los colectivos A y C alineados en su parada.

—Parece el comienzo de *Hamlet* —dijo el cronista—. ¿O era en *Macbeth*?

—Déjelos —dijo Stella—. A los tres les encanta hacer novelas. ¿Qué es eso que tiene en la cara? Permítame que se lo saque.

—Es una pelusa —dijo el cronista, bastante asombrado—. Es rarísimo que yo tenga una pelusa en la cara.

—El viento —dijo Stella—. Con la humedad se le pegó en la nariz.

Dos señoras y un chico venían por la plaza, y se pararon

junto a un cantero para que el niño orinara. En el silencio de la plaza se oía el chorrito sobre el pedregullo.

—Así es como después se resfrían —dijo una de las señoras—. Todo este rato en tu casa y no se le ocurre pis, pero es salir y ya le vienen las ganas.

—Menos mal que es eso solo —dijo la otra señora.

—Tenga usted niños —dijo el cronista, encantado.

—¿Y qué quiere? ¿Que se lo suden? ¿Vos oís esto, Clara? ¿Te das cuenta?

—No sé, estaba en la luna —dijo Clara—. Andrés, ¿para qué preocuparnos tanto? Cualquiera diría que nos va a comer.

—¿Quién? —preguntó el cronista.

—Nadie, Abel —dijo Clara—. Un muchacho.

Andrés se sentó otra vez, fatigado.

—Bueno, ya que lo nombraste podemos hablar del asunto —dijo—. Con ésta van tres veces que lo veo esta noche.

—Y yo dos —dijeron Juan y Clara al mismo tiempo.

—O que nos parece verlo. Esta niebla...

—No es niebla —dijo el cronista—. Me canso de repetirlo. Pero che, ustedes lo ocultan todo. ¿Qué es eso de Abel?

—Nada —dijo Juan, devolviéndole la botella—. Un muchacho que no anda bien del mate últimamente.

—Abelito es un poco raro —dijo Stella—. Pero verlo tres veces... Ni que nos estuviera siguiendo.

—Brillante —dijo Andrés, palmeándola.

—No seas molesto.

—Bueno. No seré molesto. Este banco está húmedo.

—Vámonos a casa —dijo Juan al oído de Clara, pero sin bajar la voz.

—No, no. ¿Por qué te preocupás?

—No lo digo por eso. Tengo miedo que te pesques una, con esta noche. Mañana hay que estar bien.

—Nunca se está bien mañana —dijo el cronista—. Este tipo de frases me salen redondas, y hay que ver lo que le gustan al Dire. Soy lo que él llama aforístico.

—Aforado —dijo Andrés—. ¿Quién hablaba de mañana? Ya estamos en mañana, es esta cosa tapiocosa que nos acosa.

—Qué cosa.

ABEL. ELBA. BAEL. BELA. LEBA.
EBLA. ABLE. ELAB. BALE. EBAL.

—El aire está lleno de pelusas —dijo repentinamente Stella—. Me acabo de tragar una.

—Son las palabras que dice la gente y que la niebla preserva y pasea —dijo Juan—. Es una noche...

Una noche, una de aquellas
noches que alegran la vida,
en que el corazón olvida
sus dudas y sus querellas,
en que lucen las estrellas
cual lámparas de un altar,
en que convidando a orar
la luna, como hostia santa,
lentamente se levanta
sobre las olas del mar.

Diez mangos a que no embocan el autor.

—Un español romántico —dijo Andrés—. Además esta noche es el perfecto reverso de tu décima.

—Claro. Lo dije para conjurarla. ¡Salid, estrellas

y tú, Belazel, azucarito, vente de arriba y muéstranos cómo se teje el bejuco y el abejaruco!

Sé muchos conjuros. Sé muchísimos.

EBAL ELAB LEBA
ABLE BAEL

—Campoamor —dijo Andrés.

—No.

—Duque de Rivas.

—No.

—Gabriel y Galán —dijo el cronista.

—No. ¿Alguien más? Nuñez de Arce

CERA AREC CREA
ECRA ACRE RACE

—Bueno —dijo Andrés—. Te buscaste un lindo ejemplo.

En la esquina de Leandro Alem y Mitre, apoyado en un portal de la recova, Abel encendió un cigarrillo. Por alguna razón (diferencia térmica, algo así) en la recova no había niebla. La gente que regresaba de Plaza de Mayo andaba como por un túnel de luz, porque los reflectores instalados cada ocho metros (después que se atentó contra el Cardenal Primado, justo delante de la LIBRERIA DEL SABER) tiraban luz a lo largo del túnel.

Cuando Abelito encendía un cigarrillo la cosa era prolija y minuciosa.

EBAL BAEL

—*Canastas y más canastas*
canastas de María Andrea —cantó un negrito diariero.

Abel hurgó en el bolsillo del chaleco, el inferior derecho. Necesitaba una estampilla. Delicadamente sacó un papelito y lo miró. Boleto rosa, colectivo. Tal vez en el otro bolsillo.

—*La noche que me casé*
no pude dormir ni un rato...

ELAB

—Más de dos horas sin hablar de literatura. Es increíble —dijo Juan, revoleando la botella vacía—. ¿Apagamos un farol?

—El buen porteño —dijo Andrés—. Dale, no te quedés con las ganas.

Pero Juan escondió la botella bajo el banco, un poco avergonzado.

—Se está bien aquí —decía Stella—. Menos calor que en la Plaza.

—Aprovechemos para una encuesta —dijo el cronista—. ¿Cuál fue tu formación, Andrés? No te cabrees, che: yo no puedo dejar de ser un periodista: *nihil humanum a me alienum puto*. ¿Te has fijado cómo se cubre uno de ridículo si hace citas en latín?

—O en lo que sea. Por eso el gran sistema es citar en

español y no decir que es una cita. Que además es lo que acabo de hacer en este instante.

—Sos grande —dijo el cronista—. Pero de veras, me gustaría buscar a todo el mundo para preguntarle: ¿Cómo se formó usted? ¿Qué leía a los diez años? ¿Qué cine vio a los quince?

—¿Nada más que eso? —dijo Juan, burlonamente—. ¿Nada más que las bellas, bellas artes y letritas?

—Dejá hablar al cronista —dijo Clara—. Es una gran hora, una gran plaza, una gran niebla para hablar de estas cosas.

—Creo que se aprendería bastante sobre la Argentina estudiando la evolución de los tipos de nuestra edad. No que vaya a servir para nada, pero ya sabés que la estadística, pibe... ¡Qué ciencia! —dijo entusiasmado el cronista—. Primero te averiguan cuántos perros murieron aplastados en cinco años y cuántos ríos se desbordaron en el Sudán.

—En el Sudán no hay ríos —dijo Juan.

—Quise decir en el Transvaal. Después cotejan los resultados, y de ahí sale una ley sobre la natalidad entre los matrimonios de cantantes italianos.

—La estadística, atención, es la democracia en su estado científico, la determinación de las esencias por los individuos.

—Cómo macaneás —dijo Andrés, riéndose. Clara lo oyó reír y se sorprendió de su sorpresa. "Tan raro", pensó. "Es bueno que se ría." Le tocó la rodilla, suavemente, y él la miró.

—El cronista quería saber cómo te hiciste una cultura. Sos su primer conejito de ensayo.

—El segundo —dijo el cronista—. El primero soy yo. El estadígrafo debe sacrificarse en aras de la ciencia y llenar la primera ficha de la historia.

—Yo tuve una infancia idiota —dijo Juan—. Pero hablá vos, Andrés.

—No me gusta hablar de mi infancia —dijo Andrés, hosco, y Clara sintió como un violento gusto a cariño, a bayas de algarrobo, una saliva de verano.

Infancia
qué bien no hablar dejarla en su esquina borrosa
en su
rayuela
qué bien no traicionar
Recinto las sandías de oreja a oreja
la siesta
caracol caracol saca los cuernos al sol
Tata Dios, tata Dios, olores, Carnaval, repeticiones
yo soy un tarmangani y vos un gomangani
oh basta

—... en adelante. Lo que quiero saber es cómo diste el salto. Cuando terminaste la adolescencia, el período pajolítico, la onicofagia y el culto de las letrinas.

—Dulce cronista, en verdad hablaste —dijo Andrés—. Aquí sí te puedo ayudar. Mirá, no tuve nada de precoz, pero empecé escribiendo con mucho coraje cosas que ahora no me animaría a decir. Cosa curiosa, escribía con un lenguaje mojigato, sin siquiera una puteadita de cuando en vez. Todos se hablaban de *tú* y la acción era siempre *anywhere, out of Buenos Aires*. Es increíble cómo se puede aspirar tanto a la universalidad; me aterraba la idea de hacer algo local; pretendía que mis versos —Sí, Juancho, por ese entonces yo me rajaba unos sonetos feroces— y mis cuentos fueran igualmente inteligibles en Upsala que en Zárate. El lenguaje era estúpido, pero lo que yo intentaba decir con él tenía más fuerza que esto que escribo ahora.

—Te equivocás de medio a medio —dijo Juan—. Pero seguí, vamos a ver qué camino anduviste.

Andrés fumaba, resbalado en el banco, con la nuca en el respaldo.

—A veces —dijo— el vapuleado determinismo rebota contra las cuerdas y de vuelta te parte la cara de una piña. Mirame a mí; hasta los veinticinco años, fiebre creadora realmente notable. No te voy a decir que escribía mucho, materialmente hablando; pulía y trabajaba mis cosas con cuidado. Pero llené más páginas entonces que en todo el resto de mi vida, y cuando las releo me doy cuenta de que andaba por buen camino. Metía la pata, escribía montones de basura, pero hoy no me sería posible encontrar la fuerza para contar algunas cosas, o la gracia para dejarme nacer un soneto como los de entonces. Además me gustaba escribir, gozaba haciéndolo. Era el sufrimiento gozoso, como la picazón bien rascada, sangra pero te gusta a la vez.

—¿Y por qué se te acabó el chorro? —dijo el cronista.

—Las influencias, los prejuicios disfrazados de experiencia. Lo malo es que eran necesarios, lo malo es que eran buenos. Y lo bueno es que a la larga resultaron malos. Mirá, no es fácil explicarlo, pero te puedo dar una idea. Tuve un par de amigos que me querían mucho, creo que por eso mismo no elogiaban casi nunca mis cosas y tendían a criticarlas con una sacrificada severidad. No podía esperar bocas abiertas ni en uno ni en otro. Me señalaban todas las patinadas de pluma, todo lo inútil; veían en mí como un deber a corregir. Eso me obligó, por lealtad y agradecimiento, a cerrar las canillas mayores y dejar el chorrito de agua. Ponía la copa debajo y cada tantos días —y noches y noches dándole vueltas, limando sacando moviendo puteando—, empezaba a formarse algo que podía quedar. Además las lecturas; fue la época en que leí por primera vez a Cocteau, tenía diecinueve años y voy y la emboco con *Opium*. Ahora te lo digo en francés, pero entonces no me daba corte, conseguí por poca plata la edición española. No te imaginás lo que fue aquello. De la *Ilíada*, que había sido el primer tirón de lo absoluto, zas me hundo en Cocteau. Algo increíble, semanas de no peinarme, de hacerme llamar idiota por mi hermana y mi madre, meterme en los cafés durante horas para que el ambiente neutro favoreciera mi soledad. Cada frase de Jean, ese filo de vidrio entrándote por la nuca. Todo me parecía mierda líquida al lado de eso. Fijáte que no hacía dos años que yo leía a Elinor Glyn, pibe. Que Pierre Loti me había hecho llorar, me cago en su alma japonesa. Y de golpe me meto en ese libro que además es un resumen de toda una vida, pero de una vida allá, me entendés, donde a los diecinueve años ya no sos el pelotudo porteño. Me meto de cabeza y me encuentro con los dibujos, porque además estaba eso;

que descubrí la plástica en esos dibujos, la última ingenuidad, la más hermosa; ahora sé que no son para asombrarse tanto, pero esos bichos geométricos, esos marineros, esas locuras del opio, mirá eran noches y noches de estarlos mirando y sufriendo, fumando mi pipa y mirándolos, estudiando y mirándolos, todo el tiempo cerca de ellos, una locura de crustáceo.

—Joder —dijo el cronista.

—Ahí tenés. La severidad formal de ese libro, su dificultad de comprensión no tanto por lo que dice como por lo que alude a cosas que yo no conocía ni remotamente, Rilke, Victor Hugo en serio, Mallarmé, Proust, *El acorazado Potemkin*, Chaplin, Blaise Cendrars, me reveló sin que yo me diera cuenta las dimensiones justas de la severidad. Empecé a tener miedo de escribir gratuitamente; empecé a tirar los papelitos que garabateaba en la Plaza San Martín o en La Perla del Once. Entre los dos amigos que te dije y este libro me enfilaron derechito a Mallarmé, quiero decirte a la actitud de Mallarmé. La cosa es que me fui secando, por desconfianza y deseos de tocar lo absoluto. Me puse a hacer poemas herméticos, tanto que ahora mismo no conozco más de cuatro personas que hayan podido aguantar la primera media docena. Empecé a cultivar la circunstancia pura: escribir cuando encontraba una razón absolutamente necesaria. Así escribí un treno cuando se murió D'Annunzio que yo quería con delirio, por contragolpe, ya ves, y porque a él en el fondo le pasaba lo mismo, solamente que escribía muy poco pero con muchísimas palabras.

—¿Y después —preguntó el cronista.

Pero Andrés había cerrado los ojos y parecía dormir.

—Después empecé a escribir bien —dijo Juan, rozándole la frente con un dedo—. En fin, fijáte que él, como todos nosotros, tiene el color de la luna. Está aquí, pero la luz le viene de tan lejos. Cocteau... Mi luz se llama a veces Novalis y a veces John Keats. Mi luz es el bosque de las Ardenas, un soneto de sir Philip Sidney, una suite para clave de Purcell, un cuadrito de Braque.

—Y yo —dijo Clara, desperezándose desvergonzadamente.

—Y vos, ratoncito. Ay, cronista, sólo los provincianos, a veces muy a veces, se arman una pobre culturita autónoma. Fijáte que no digo autóctona porque... Pero en fin, con gran preponderancia local. ¿Hacen bien, cronista, a vos te parece que hacen bien?

—Te contradecís —opinó el cronista—. Es posible especializarse en lo local, pero una cultura es por definición ecuménica. ¿Debo traducir mis términos? Sólo en segunda etapa se puede *valorar* lo propio. Yo entiendo a Roberto Payró *porque* me tengo leído mi Mérimée y mi Addison & Steele. Quedarse en lo inmediato y creer que se tiene bastante, es condición de molusco y de mujer, con perdón de las damas presentes.

—Es tan triste, cronista —dijo Juan, suspirando—. Es tan triste sentirse parásito. Un chico inglés *es* en cierto modo el soneto de Sidney, los parlamentos de Porcia. Un *cockney* es tu *London Again*. Pero yo, que los quiero tanto, que los conozco tanto, yo soy este puñadito de poemas y novelas, yo soy nada más que la cautiva, el gaucho retobado, el cascabel del halcón, Erdosain...

—Me parece mezquino quejarse así —dijo Clara, enderezándose—. No es propio de un hombre que pelea como vos para lograr la poesía que le interesa.

—Todo bien mirado —dijo Juan, amargo— nada tiene de brillante pertenecer a la cultura pampeana por un maldito azar demográfico.

—En el fondo, ¿qué te importa a qué cultura pertenecés, si te has creado la tuya lo mismo que Andrés y tantos otros? ¿Te molesta la ignorancia y el desamparo de los otros, de esa gente de la Plaza de Mayo?

—Ellos tienen quimeras —dijo el cronista—. Y son de aquí, más que nosotros.

—No me importan ellos —dijo Juan—. Me importan mis roces con ellos. Me importa que un tarado que por ser un tarado es mi jefe en la oficina, se meta los dedos en el chaleco y diga que a Picasso habría que caparlo. Me jode que un ministro diga que el surrealismo es

pero para qué seguir

para qué

Me jode no poder convivir, entendés. No-poder-con-vivir. Y esto ya no es un asunto de cultura intelectual, de si Braque o Matisse o los doce tonos o los genes o la archimedusa. Esto es cosa de la piel y de la sangre. Te voy a decir una cosa horrible, cronista. Te voy a decir que cada vez que veo un pelo negro lacio, unos ojos alargados, una piel oscura, una tonada provinciana,

me da asco.

Y cada vez que veo un ejemplar de hortera porteño, me da asco. Y las catitas, me dan asco. Y esos empleados inconfundibles, esos productos de ciudad con su jopo y su elegancia de mierda y sus silbidos por la calle, me dan asco.

—Bueno, ya entendemos —dijo Clara—. No nos va a dejar ni a nosotros.

—No —dijo Juan—. Porque los que son como nosotros me dan lástima.

Andrés escuchaba, cerrados los ojos. "Qué pobres cosas", pensó. "Sólo en las pasiones, en el barro elemental somos iguales a cualquiera. Donde se inicia la pareja, donde arden los valores, el ajuste delicado del hombre con su mundo, su estricta confrontación, ahí nos perdemos..."

La pelusa se desprendió de entre las hojas húmedas que la aprisionaban dando un salto que la hizo caer en el pedregullo. La bota de un vigilante pisó a su lado, errándole por poco. Una brisa leve la agitó, la hizo girar sobre sus mínimos tentáculos de hebras, polvo, ínfimos trozos de telas y de fibras; al entrar en una columna de aire subió veloz hasta la altura de los faroles de alumbrado. Anduvo de uno a otro, rozando los globos opalinos. Después sus fuerzas declinaron y empezó a bajar.

Con los ojos cerrados, Andrés escuchaba las voces de sus amigos. El cronista recordaba unos versos que Juan había escrito mucho tiempo atrás. Clara los sabía mejor, y los dijo con un acento un poco cansado, pero donde el cansancio parecía nacer de las palabras antes que de la voz. Quizá el poema ilustraba ya entones, con un lenguaje muy lujoso, lo que Juan acababa de decir. "Se puede vomitar en una palangana de lata o en un vaso de Sèvres", pensó amargamente Andrés.

—Cuánta elegancia —dijo Juan, rompiendo un silencio que duraba—. Todo eso no está mal, pero esas marismas, esas caracolas...

—Es muy hermoso —dijo Clara—. Cada día les tenés más miedo a las palabras.

—Aquí es bueno que alguien les tenga miedo —murmuró Andrés—. Apoyo a Juan.

—Pero corremos el riesgo de la indigencia si seguimos temiendo caer en pedantería. Parecería que cada vez nos vamos despojando más en el orden de la expresión, sin por eso ganar en esencialidad, muy al contrario.

—Si nos pusiéramos previamente de acuerdo sobre los términos de esta discusión encarnizada —sugirió el cronista—. Expresión, por ejemplo, y cosas así.

Pero Clara no quería perder tiempo, porque le gustaba el poema de Juan y encontraba que marismas y caracolas estaban muy bien.

—En todo sentido perdemos terreno —insistió—. Nuestros abuelos llenaban de citas lo que escribían; ahora se lo considera una cursilería. Sin embargo las citas evitan decir peor lo que otro ya dijo bien, y además muestran siempre una dirección, una preferencia que ayuda a comprender al que las usa.

—*Quoth the raven: Never more* —dijo el cronista—. Una cotorra también puede decir *Panta Rhei*.

—No por eso nos engañará —dijo Clara—. El temor a citar, a buscar comparaciones de orden clásico, son formas de este rápido empobrecimiento. Pero insisto en que lo peor es el miedo a las palabras, esa tendencia a acabar en una especie de *basic-Spanish*.

—Mejor es el *basic-Spanish* que el lenguaje de *La guerra gaucha* —dijo el cronista.

—No pierdan el tiempo —dijo Andrés, como entre sueños—. Siempre la misma estúpida confusión entre fines y medios, entre fondo y forma. *La guerra gaucha* es coruscante porque está coruscantemente

balconeáme este adverbito

pensada. Lo cual lleva a esta sabia modulación: Díme cómo escribes y te diré qué escribes. Del coruscamietno a la coruscancia, pibe.

—Lo que uno se cultiva con ustedes —decía el cronista mirando a Stella, casi dormida en una punta del banco. Ahora faltaría solamente una excursión por la música, un toquecito de pintura, dos chorros de psicoanálisis, y después todos a casita que mañana hay que trabajar.

—Mañana —dijo Juan— hay que dar examen.

Andrés se quitó la pelusa que le había caído en la boca.

—Si hablar cada vez menos —murmuró— fuera hablar cada vez más, Juanillo, el poeta debe ser monófono.

—Sí —dijo Juan, irónico—. Y acabar como los monigotes de Herman Hesse, que se masturban cara al sol con su famoso *OM*.

—Curioso, también a mí me revienta el suizo —dijo Andrés—. Pero mirá, es justo que le reconozcamos mucho de razón a Clara. El idioma de los argentinos sólo es rico en las formas exclamativas, nuestra falsa agresividad resentida, y en los restos que la transmisión oral va dejando de voz en voz en las provincias. Lo primero que asombra es la liquidación de adjetivos que hemos hecho. Cuando oís a una cocinera española describir una paella o una torta, te das cuenta de que usa una adjetivación mucho más rica que uno de nosotros para caracterizar un libro o una experiencia importante.

—Es bueno que nos sustantivemos.

—De acuerdo, ¿pero lo hacemos? No estoy seguro. El pudor del resentido se traduce en la polarización del epíteto. Así ha nacido ese increíble catálogo de

qué animal, cómo tocó Debussy
es un artista bestial
qué bruto el tipo, qué talento tiene esta bestia,

o la aparición de adjetivos mágicos, que funcionan en pequeños círculos, a manera de comodines que reemplazan cómodamente toda una serie de palabras: "Fabuloso" es uno de ellos entre nosotros. Y antes de ése, y todavía dura, estuvo "fenómeno".

—No creo que sean mecanismos específicos de Buenos Aires —dijo Juan—. Pero lo que decís es cierto como signo. Ahora me acuerdo, yo iba hace mucho tiempo de visita a una casa en Villa Urquiza, y allí iba también un porteño de apellido catalán, al que le oí por primera vez eso que acabás de decir. El tipo consideraba muchas cosas como "horribles". Eran las grandes, las que lo entusiasmaban. "Una novela horrible, tiene que leerla hoy mismo..." Yo iba a esa casita a ser feliz y a aprender la técnica de la traducción. Fueron unos años horribles —agregó en voz baja, sonriendo para sí.

—Si el estado de la lengua permite sospechar cómo anda el pueblo que la habla —dijo el cronista—, entonces estamos jodidos. Lengua pastosa, amarillenta y seca. Gran necesidad de limonada Rogé.

—Aquí hay gente que por suerte no tiene pelos en la lengua —dijo Juan—. Creo que yo soy uno, y no me parece que Andrés le tenga miedo a expresarse de la manera más... Mirá, yo diría honesta. Expresarse honestamente, sin caer en la comodidad

porque en el fondo es eso, qué joder,

de un lenguaje sacerdotal, de un *trovar clus* que ya no tiene sentido.

—Sí, tiene sentido —dijo Andrés—. Tiene *su* sentido. ¿Por qué le vas a negar a un artista el expresarse con fidelidad a su materia poética o plástica? Me parece bien que hables de honestidad, y que veas en nosotros dos por lo menos un esfuerzo hacia esa honestidad de expresión. Pero acepta también los otros planos, la posibilidad de un *trovar clus* tan válido como tu lenguaje inmediato y esencial.

—Andrés tiene razón —dijo Clara—. Lo que decide la cosa es que el lenguaje sea uno con su sentido, y eso ocurre aquí pocas veces. Pero los sentidos siguen siendo muchos, y una cosa es un álamo con ruiseñores y otra una polenta con pajaritos. Lo importante es no llamarle ambrosía a la grapa, y viceversa.

—Joder —dijo el cronista—. Si decís eso mañana te corren a patadas por toda la Facultad.

—Está muy bien —sonrió Andrés, mirando a Clara como sorprendido—. Claro que está muy bien. Roberto Arlt entendió mejor que nadie la lección de *Martín Fierro*, y peleó duro para conseguir y validar esa unión del lenguaje con su sentido. Fue de los primeros en ver que lo argentino, como lo nacional de cualquier parte, rebasa los límites que impone el lenguaje culto (que vos llamás sacerdotal), y que solamente la poesía y la novela pueden contenerlo plenamente. El era novelista y atropelló para el lado de la calle, por donde corre la novela. Dejó pasar los taxis y se coló en los tranvías. Fue guapo, y que nadie se olvide de él.

—La cosa es más complicada —dijo Juan, revolviéndose en el banco—. Acepto que un sentido debe tener su lenguaje, debe ser su lenguaje, etcétera. Te concedo también el pleno derecho a *trovar clus*. Eduardo Lozano me parece tan con derecho a su poesía como yo a la mía o Petit de Murat a sus elegías de patio abierto y velorios atroces. El problema, en el fondo, no es nunca de lenguaje sino de sentido. ¿Nos interesa de veras salir a la calle? Es decir: ¿vale la pena? Tan pronto contestamos por la afirmativa, sólo un tarado puede pretender expresar la calle con el estilo de *La Nación* o del doctor Rojas. Ya decidido, el novelista inteligente no tiene más que un camino: el que mi mujer ha definido tan bonitamente, el lenguaje que es uno con su sentido. Pero, hay otra pregunta; ¿qué es la calle? ¿Representa, contiene más que el salón de Eduardo Wilde o los departamentos con vista al río de Eduardo Mallea?

—No hagas figuras —dijo Clara—. Vos sabés bien que la calle es calle porque el que anda por ella es el hombre, y que en el fondo la calle da lo mismo que el salón, el departamento, o un cálculo integral. Hasta ahora te seguíamos bien pero si te dejás engañar por tus símbolos, ni vos te vas a entender.

—Ah, el hombre —dijo el cronista—. Esta niña acierta siempre.

—Seguro que acierta —dijo Andrés—. Arlt andaba por la calle del hombre, y su novela es la novela del hombre de la calle, es decir más suelto, menos homo sapiens, menos personaje. Fijáte que el término *personaje* casi no cabe a estas criaturas de la novela de la calle. Y fijáte que al doctor Fulanón de Tal lo llamamos justicieramente un *personaje*. Sacále el jugo a estas cositas, cronista de mi alma.

—Acepto el café —dijo Juan—. Y vuelvo a lo mío. Este hombre que ya no es un personaje de novela, este argentino que anda por la calle de las novelas que nos interesan y que son tan poquitas,

¿a vos te parece que lo podemos agarrar de pies a cabeza, que lo podemos conocer y ayudarlo a conocerse, y que para eso se precisa hablar de él, hablarlo,

con un lenguaje absoluto y sin freno, un verbo que no respete otra cosa que su propio sentido, que no tenga otra dignidad que la de servir a su hombre novelista y a sus hombres novelescos?

—Sí, creo —dijo Andrés—. Lo creo, carajo si lo creo.

—Amén —dijo el cronista.

Y EL RIO ESTABA CERCA, INVISIBLE,
CON SUCIEDAD DE BOYAS.

La plaza estaba ya casi vacía; quedaban pocos grupos —uno con gente de blanco llevando una caja larga— y la policía; también, sobre la esquina de Banco Nación, un carro de riego municipal, los peones con botas de agua metiéndose en la plaza para sacar los papeles, las cáscaras de naranja pegadas en el barro, lavando el pavimento y las veredas exteriores. En un Mercury negro dos inspectores vigilaban. Pronto empezaría a aclarar.

—El intendente es un tarado, che —dijo el inspector petiso.

—Y no hablemos del gran cabrón de parques y paseos

—dijo el inspector conductor del Mercury—. No lo vas a creer, pero el expediente de mi traslado lo tiene el tipo en un cajón con llave y se hace el burro. Yo sé que lo tiene pero no me animo.

—Claro

—A decirle

—Seguro

—Porque vos sabés cómo es. En una de esas le da la viaraza y te pone una tapa que te la voglio dire.

—Ahí adentro no se puede hacer carrera, che.

—Y qué le vas a hacer.

—Bueno, ya cumplimos con esto. ¿Te parece que alcanzará con un carro de riego?

—Y sí —dijo el inspector conductor del Mercury—. Que le den una mano de gato y listo, total mañana la vuelven a empezar.

Del orificio, negro adentro y tembloroso en los bordes, donde una capa rosada vibraba y se contraía, adquiriendo por un segundo la perfecta inmovilidad de la circunsferencia, quebrada después por la irrupción del óvalo, la elipse, el torpe triángulo de extremos curvos, fue saliendo una materia de un rosa más claro, agitada en su ciega cabeza, retrocediendo con prontitud de látigo para asomar otra vez, salamandra decapitada, crudo falo informe,

y Abelito pasó dos veces la lengua por la estampilla, la primera para ablandar la goma, la segunda para sentir porque eso no cambia

Cambian los gobiernos
pasan las repúblicas
pero ese fundamento
esa compuesta afirmación adherente

el gusto de la goma nacional, la dulce náusea de la película endosante y permaneciente, la jalea por detrás de la cara de Bernardino Rivadavia, un triunviro, un hombre de la tierra, un prócer, un refugiado final en una estampilla

que queda como patria de los héroes

Cosa importante es la estampilla
que queda como patria de los héroes
barridos y sonados
ya en la historia
pero qué quiere decir: ya en la historia
Si
la historia es un momento, una mísera palabra,
una mísera palabra que resuena altisonante y almafuerte?
(A todo esto Abel pegaba la estampilla conforme a las instrucciones de Correos y Telecomunicaciones. Tal vez
por esa rebelión presente en el porteño
un poquito más hacia el medio de lo debido
como para incomodar a la máquina selladora, forzarla a tantear, a repetir su gran patada de hierro en la pobre cartita azul aplastada por tanta planitud
la escritura plana el sobre plano
la estampilla
(que queda como patria de los héroes) plana.)
En la de cinco San Martín, en la de diez ya Rivadavia
y en el silencio de la noche el ala enorme de la patria.

(Pero no son ellos, nunca son ellos, no caben, qué decreto podría confiscarles la dimensión que más allá de la estampilla empieza. Nacer para que un tipo te lama la nuca en la recova, antes de la madrugada. Nacer para que una máquina selladora te parta la cara dos millones de veces al día.
(cf. estadísticas de Correos. Los de las estampillas de más arriba de un peso
acomodados
menos biaba
pataditas con guante, tolerables) y ésa es una de las maneras de estar - en - la - historia.)
Lo peor, la disponibilidad: hágase, eríjase, conmemórese, bautícese, exhúmese, repátriese, transpórtese, mausoléese, estampíllese, discurséese.
Eso

que queda como patria de los héroes: un hombre hermoso ignorado en su esbelto adiós,
y tarantachín
  tarantachín
y la gloria inmarcesible y el lábaro y el acendrado culto de millones de lenguas lamiéndote el pescuezo y millones de sellos rompiéndote la cara.
Buzón Abel adentro ! mañana
en poder del destinatario
y el sobre a la basura, con su cara, su gloria inmarcesible, San Martín entre fideos y pedazos de budín de sémola.

II

De pronto recordó. Debía tener tres o cuatro años, lo hacían dormir en una cámara desnuda, en un inmenso lecho, y a los pies crecía un ventanal. Era en verano y el ventanal quedaba abierto. Se acordó hasta de los menores detalles: despertar mirando un cielo lívido, como pegado al marco en vez del vidrio, un cielo gomoso, sucio ——el amanecer. Y *entonces cantó un gallo*, rajando el silencio con un horroroso desgarramiento del aire. Y fue el espanto, la abominable máquina del miedo. Vinieron, lo consolaron, lo tuvieron en brazos, lo...

—Dios mío.

El taxi tomó despacio por Leandro Alem. El edificio del Correo parecía un decorado, ilustración para la historia de Malet. *Herido en una sedición, Licurgo...*

—Por favor, vaya todo lo despacio que pueda —pidió Clara—. Queremos ver salir el sol.

—Bueno, señorita —dijo el chofer—. Va a ser un lindo día.

—Quien sabe —dijo Clara—. El aire está tan raro. Ya se debería ver bien, son las seis y media.

Bostezó, echando la cabeza contra el cuero frío del respaldo. Juan tenía los ojos cerrados.

—Un gallo —murmuró—. Qué hijo de una gran puta.

—¿Y eso, viejo?

—Nada, un recuerdo. En el comienzo era el canto del gallo.

—*O vive lui, chaque fois*
que chante le coq gaulois.

¿Vos te fijaste que el cronista se tiraba el lance de que le regalaras la coliflor?

—No se embroma...

—Total, para qué la quería —dijo Clara—. No se la va a comer él.

—Seguro. Es mío y basta.

Clara le acarició el pelo y refugió la cabeza en su hombro.

—Creo que ahora tengo un poquito de sueño —dijo.

—Yo también. Qué noche.

—Bah —dijo Clara, abriendo los ojos.

—No te muevas —pidió Juan—. Me gusta sentirte el olor del pelo. Oí como grita ese tren. Como mi gallo.

—Ah, tu gallo. De veras que grita. Habrá una vaca en la vía —dijo brillantemente Clara—. Es tradicional que las vacas se queden en las vías.

—No hay vacas sueltas en el puerto.

—Puede haberse escapado. Pero el tren no la va a atropellar. Primero que los trenes del puerto son muy lentos. Segundo que el tren grita por la niebla y no por una vaca.

—Niebla, niebla. El cronista... Chofer, tome Corrientes arriba. Despacito despacito.

—¿Vos te fijaste —dijo Clara— que el cronista vio los dos taxis al mismo tiempo? ¡Qué vista!

—Era el más despierto de todos —dijo Juan—. Yo no sé cómo pudimos andar así toda la noche. Esas horas en Plaza de Mayo... Fue estupendo, y después el chino.

—El chino, y después Abelito, y cuando la mujer lo atajó a Andrés.

—Ah, sí, la mujer y Abelito.

Le pasó los dedos por la boca, cosquilleándole la nariz. Clara lo mordió, mojándole los dedos con la lengua.

—Tenés gusto a coliflor cruda —dijo—. Mirá esos vigilantes, ahí.

En Corrientes y Maipú había dos vigilantes y algunos transeúntes mirando el pavimento, como si leyeran una inscripción. El chofer detuvo el coche, y vieron que el pavimento estaba hundido en una extensión de dos o tres metros, justo delante del eslabón Modart. Poca cosa pero bastante para romperle un eje a un auto.

—Es la Municipalidad —dijo el chofer acelerando un poco el coche—. Por mi barrio se cayó un poste de alumbrado. De golpe se enterró medio metro y después se ladeó. Malos cimientos, porque la municipalidad no vigila.

—No creo que un camión haya podido hundir así el asfalto —dijo Clara, semidormida—. El cronista lo explicaría tan bien, tan bien.

—Ella es buena —salmodió Juan, dejándose ganar por el sueño—. Ella es muy buena...

Y TENIA LA CARA BLANCA
BAJO EL CHAMBERGO AZUL

—Ella viene de Formosa, de Covunco...

—Basta —pidió Clara—. Por favor. En el fondo todo eso era horrible.

—Sí, como mi gallo.

Clara se apelotonó contra él.

—Decíle que vaya más ligero. Tengo tantísimo sueño.

—Yo —dijo el cronista— he estado pensando.

—Es posible —dijo Stella que cultivaba el humorismo a sus horas—. Son cosas que pasan.

—Y no creo —continuó el cronista— que todo lo que se ha dicho esta noche sobre nuestra literatura sea exacto.

—Pedíle al chofer que suba por Córdoba —murmuró Andrés que parecía dormir—. Y dejá quieta la literatura.

—No, es que es importante, che. Al principio acepté esa teoría de ustedes de que aquí no hacemos obra por blandura. Ahora estoy menos seguro de que sea el motivo. Decíme una cosa: vos, ¿por qué escribís?

—Porque me entretengo, como todo el mundo —dijo Andrés.

—Perfecto, es lo que necesitaba. Ni siquiera empleaste el término "divertirme", que hubiera obligado a un rodeo.

—Te advierto —dijo Andrés— que las más de las veces cedo a una necesidad. Hay una tensión que sólo se dispara sobre la página. Es lo que los escritores abnegados llaman "la misión", partiendo de la razonable idea de que toda ballesta tensa incluye una flecha y que la flecha tiene por misión ir a clavarse en alguna parte.

—Pero esa necesidad —dijo inquieto el cronista— ¿tiene fundamento exterior a vos, digamos,

un imperativo moral

una propedéutica una mayéutica algo que te obliga éticamente?

—No señor —dijo Andrés abriendo los ojos—. Eso se lo ponemos después, como el cazador habla de los daños que ocasionan los zorros en las granjas y la conveniencia de exterminarlos. En el fondo escribir es como reírse o fornicar; una suelta de palomas.

—De acuerdo. Pero hay que distinguir entre la literatura digamos "pura", y Dios me perdone el mal uso, y el ensayo con fines docentes. Aquí hay más que entretenimiento; por lo regular el que enseña no se entretiene.

—Esencialmente, sí —dijo Andrés—. Si enseña por vocación, en principio actúa para cumplirse, y a eso le llamo yo entretenimiento. Realizarse es divertirse. ¿O vos creés que no?

—En fin, la cosa es sutil —dijo el cronista, que plagiaba frases de la versión española de *Los tres mosqueteros*.

—Los poetas, por ejemplo, son felicísimos con sus poemas, a pesar de que se considere elegante suponer lo contrario. Los poetas saben muy bien que su obra es su realización, y bien que la saborean. No creas nunca en las historias de poemas escritos con lágrimas; en todo caso son lágrimas recreadas, como las de los actores. Las lágrimas verdaderas, a vase de cloruro de sodio, se lloran por o para uno mismo, no para proporcionar tinta lírica. Acordate de San Agustín cuando se le murió el amigo: "Yo no lloraba por él sino por mí, por lo que había perdido". Y por eso las elegías siempre se escriben mucho después, recreando el dolor y siendo feliz como se es feliz mientras se escucha morir a Isolda o se asiste a la desgracia de Hamlet.

—Príncipe de Dinamarca —dijo Stella.

—Claro que la cosa es sutil, como decís vos. Me imagino que Vallejo pudo llorar mientras escribía sus últimas páginas. O Machado, si querés. Pero en ellos el dolor era su humanidad, estaban como dados al dolor, o tomados por el dolor. Créeme, cronista, sus últimas páginas debieron ser sus mejores momentos, porque delegaban el dolor personal en el histrionismo de alta escuela que supone siempre convertirlo en poesía. Si sufrían en ese momento, sufrían como puede sufrir quizá una estrella o una tormenta. Lo peor era después, cuando cerraban el cuaderno, cuando reingresaban en el sufrimiento personal. Entonces sí sufrían ellos, como perros, como hombres deslomados por su destino. Y la poesía ya no podía hacer nada por ellos, era como un juguete roto, hasta una nueva iluminación y una nueva felicidad.

—Así ha de ser —dijo el cronista—. De paso me explica por qué siempre me han jorobado los escritores agremiados que se proclaman mártires de su labor. ¿Por qué mártires? En el peor de los casos, si realmente sufren al crear, deberían estar satisfechos como los santos, porque ese sufrimiento vendría a ser la prueba de la cuenta, la corroboración.

—Cuando oigo decir de un escritor que sufre como una madre al escribir, me siento inclinado a mandarlo a la mierda —dijo Andrés—. El lema de un poeta no puede ser sino éste: En mi dolor está mi alegría. Y esto nos trae de nuevo a territorio nacional porque, viejito, aquí no sufrimos lo bastante como para que la alegría creadora rompa los vidrios y corra por los techos. Cuando hablo de sufrimiento, me refiero al de la gran especie, al que suscita un poema como el de Dante. Por el momento nuestra Argentina es un limbito, un entretiempo, un blando acaecer entre dos nadas, como muy bien tiene dicho Juan en alguna parte.

—¿A vos te parece entonces que el sufrimiento debe preceder a la alegría? —dijo sobresaltado el cronista.

—No, porque la causalidad no tiene vigencia más que para lo epidérmico del destino. Decir que quien no llore no reirá es absurdo, porque en lo hondo, en el laboratorio central, no hay ni risa ni llanto, ni dolor ni alegría.

—¿No? —dijo el cronista—. Avisá.

—Hablo siempre del poeta —dijo Andrés—. Sospecho que el poeta es ese hombre para quien, en última instancia, el dolor no es una realidad. Los ingleses han dicho que los poetas aprenden sufriendo lo que enseñarán cantando; pero ese sufrimiento el poeta no lo aceptará nunca como real, y la prueba es que lo metamorfosea, le da otro uso. Y ahí está precisamente lo terrible de un dolor así; padecerlo y saber que no es real, que no tiene potestad sobre el poeta porque el poeta lo prisma y lo rebota poema, y además goza al hacerlo como si estuviera jugando con un gato que le araña las manos. El dolor sólo es real para aquél que lo sufre como una fatalidad o una contingencia, pero dándole derecho de ciudad, admitiéndolo en su alma. En el fondo el poeta no admite jamás el dolor; sufre, pero a la vez es ese otro que lo mira sufrir parado a los pies de la cama y pensando que afuera está el sol.

—Yo me bajo en la esquina —dijo el cronista—. En realidad no conseguí llegar adonde quería. Me refiero a este tema, no a mi domicilio. Aparte de eso estoy de acuerdo con vos. Pare ahí nomás, en esa puerta tan elegante. Che, fue una noche estupenda. Esa parte con el chino...

—¡Pobre chino! —dijo Stella.

Iban por Córdoba, allí donde la calle se llena de islas con árboles y se avanza pluvialmente y pronto se estará en Angel Gallardo, los accesos al parque Centenario, el perfume vago de la primera mañana. Para Stella, que miraba la calle con una borrosa atención, sólo tenía consistencia el corte reconocible de las esquinas, ese cartel de farmacia, ahora el plesiosaurio del Museo, el ballenato, los bloques de departamentos, las curvas calles del parque con tímidos automovilistas aprendiendo a manejar en viejísimos cabriolets descascarados.

—Va a hacer un lindo día.

Andrés estaba como dormido, encogidas las piernas, la nuca al borde del respaldo. Sonreía apenas, asintió con un leve movimiento de cabeza sin saber lo que había dicho Stella.

"El milagro de la cercanía", pensaba. "El encuentro, el

contacto. Ibamos así, y a ratos la tuve del brazo y a ratos discutimos

y a ratos fue mala y olvidada

y pedacito,

pero qué

si estábamos, si era la corroboración, ese instante indecible en que uno sale del yo y dice: 'vos'. Lo dice, lo es,

ahí está, lo es, oh claridad ——"

Trozos de imagen, negarse a que la voz invente sus frases que aíslan. Simplemente recordar, o mejor

seguir, estar todavía allí, alabando sin palabras el borde

el don de esa noche ida

"Y un día ya no", se dijo. "Un día ya no. Saber desde ahora que un día ni siquiera cabrá verso en la calle, hablar apenas, convivir una misma imagen. Hemos partido el pan, esta noche,

y ella me sirvió una copa de vino, y dijo: "Juan, Andrés está enojado conmigo", y jugaba a ser Clara, a creerse esta Clara que puede todavía mirarme y aceptar mi cercanía. Pero habrá un tiempo

gorriones, montoncitos de polvo brincando bañándose

felicidad de la materia pura,

vacación de la piedra vuelta pájaro

un día ya no. Sola ella, o yo. De pronto un teléfono: es la muerte. Sí, fue repentino. Oh mi amor mi amor,

revancha del lenguaje, diluvio de los tropos, pero sí, horrible, ya no verla más, y saber que irreversiblemente

tan del lado de la mañana

y de golpe abajo tan abajo

so sweet so cold so bare

—Pare en la esquina. Querido, vamos. Ay, qué dormido que estás.

"Nada aquí puede pagar esta certeza", pensó Andrés buscando la billetera. "Sólo el olvido condiciona la felicidad. Toda previsión es horror. Vuela, allegro, paséate por el teclado, desata las brisas y las naranjas. Yo sé, yo sé que el otro tiempo por venir

es el lento, es el andante terrible

es lo que era antes de esta fugaz mentira presente indicativo.———"

Pensaba en Clara, cuando se acostaron (Stella había preparado café con leche y él se bañó largamente, mirando por la entreabierta ventana los plátanos de la calle)

y fue la paz, el sueño ganándoles las manos,

la vio otra vez dura y amarga (para él, sólo para él y quizá para Juan), mintiendo su sereno desafío: "Andrés, ¿para qué preocuparnos tanto? Cualquiera diría que nos va a comer". Y el cronista preguntó: "¿Quién?" Entonces Clara dijo: "Nadie, Abel, un muchacho". Un día —— y ya se estaba durmiendo, pero le dolió pensarlo —— un día, acaso: "Nadie, Andrés: un muchacho".

Siendo "nadie" el sujeto de la oración.

Stella, dormida, gimió y se vino contra él, pasándole una mano por la cintura. Andrés se dejaba ir al sueño; blandura, tal vez cortarse el pelo a mediodía —— Ya andaba junto a Stella, no sintió cuando su mano, replicando la de ella, se detuvo en su muslo.

A la tercera tentativa la llave se trancó del todo. Juan puteaba en voz baja. José, el vigilante de la esquina, se divertía de lejos mirándolos.

—¡José! —gritó Clara, agitando el paquete—. ¡No hay peligro que nos roben! ¡Ni nosotros podemos entrar!

José se reía con toda la cara de chinazo adormilado.

—Y pensar —le dijo Clara— que traemos una coliflor preciosa.

—Vos teneme quieto el coliflor —murmuró Juan, rabioso—. A ver si me lo desmigajás justo a diez metros del florero.

—¿Lo vas a poner en un florero?

—Por supuesto, si es que entramos.

—José, dice Juan que tal vez podamos entrar.

—Ya es algo, señora —dijo José, divertidísimo.

—No es la cerradura —rezongó Juan—. Se ha trancado

el pestillo, como si la puerta estuviera desnivelada.

Pero la puerta cedió de golpe, y del pasillo salió una vaharada jabonosa y nocturna. Juan abrió, apoyándose con todo el cuerpo, y entonces vieron el desnivel. Todo un lado del piso de mosaico estaba ligeramente hundido, y se llevaba consigo el armazón de la puerta. Clara suspiró, asombrada. Saludaron a José y anduvieron con una brusca sensación de frío hasta el ascensor. No les llevó mucho tiempo descubrir que se había quedado trancado entre dos pisos.

—Mientras no haya un muerto adentro —dijo Clara—. Es tradicional que un muerto alcance a frenar el ascensor entre dos pisos.

—Tené el coliflor —dijo Juan que le había quitado el paquete al entrar—. Subo a ver.

—Total —lo animó Clara— no son más que ocho pisos, y puede que esté entre el quinto y el sexto.

—Seguro —dijo Juan, trepando de a dos—. Pavadita de escalera.

Más tarde durmieron, pero Clara seguía esperando el ascensor con Juan. La casa enorme y el pasillo desde la calle (con José al otro lado, pero tan ineficaz, tan vigilante) se había oscurecido y era más largo (no es fácil probar que la luz no afecta las dimensiones de las cosas) y más negro. La chimenea del ascensor se perdía en la oscuridad

sí, no era de día, no era de día,

donde sin duda Juan estaba maniobrando el ascensor

(¿por qué basta decir *sin duda* para que inmediatamente salte la duda extrema? Fin de capítulo: "Y se separó tiernamente de su esposa, a la que sin duda hallaría sana y salva al regreso de su expedición ——" El buen lector: "Zas, ahora se arma".)

PERO JUAN TARDABA

y la coliflor, ese fruto pesado, ese objeto blanquecino envuelto en sus mantillas verdes, cada vez más pesado —la fatiga, todo es relativo—

o acaso un poquitito más grande desde que esperaba la llegada del ascensor

que no venía no venía

respiración qué oscuridad las rejas de la jaula Otis

HABIENDO ESCALERAS EL PROPIETARIO NO SE
RESPONSABILIZA
POR LOS
ACCIDENTES

oh Juan entre el quinto y el sexto

Sister Helen

Between Hell and Heaven

pero una luz lucecita y la lúz guió a los pastores al calendario *shepherd's calendar*

bajando lucecita lucecita

lamparita del suburbio no, el ascensor, a por fin el ascensor y Juan

el ascensor envuelto en luz, escurridizo, al fin bajando y Abel, riéndose

pero no mirar al piso no mirar a los pies de Abel
porque
ahí en el piso

Juan despertó con el grito. Clara temblaba, con las manos contra la cara. Cuando la sacudió un poco y Clara sollozó en sueños pero se fue estirando, ya tranquila, supuso que era mejor dejarla así. Le acarició el pelo, un momento apenas, antes de perderse él mismo en el movimiento de la caricia. Casi en seguida empezó a soñar. El humo entraba por debajo de la puerta, y era natural porque la puerta estaba vencida con el hundimiento y dejaba una rendija bastante ancha del lado de las bisagras. También entraba humo por la rendija de la ventana. Huija rendija la máma y la hija Rancagua Pisagua la chicha con agua

le sale la guagua debajo 'e la enagua pero era la coliflor (qué absurdo, pensó Juan ajustándose la robe de

chambre) probablemente el humo dañaría a Clara
a la coliflor que todo humo marchita. Pero la cosa no era seria porque quedaba el gran recurso (se hizo un nudo en la cintura, apretándose como un boxeador compadre) de declarar

FALSIFICADO EL SUEÑO

—Usted no puede nada contra mí —dijo, apuntando con dos dedos al humo que aleteaba alrededor de la cama—. Levántate, Brunilda de cero noventicinco. —Pero Clara se tocaba el corazón con aire exánime, y había que discurrir otro medio.

—Lo mejor es que me despierte —dijo brillantemente Juan y se despertó. Estaba sentado en la cama, con las dos manos apretándose el estómago. Por la rendija de la ventana entraba la niebla.

Sin saberlo bien gozó la tranquilidad que le trajo la caricia de Juan; eso había terminado, eso no era nada más que una pesadilla. Por un instante la cara, los dientes de Abel la rondaron esfumándose, y después nada. La galería era de noble hermosura, con brocados y mesas como las del palacio Pitti, deslumbrantes de trocitos de mármol ajustados en una geometría minuciosa. Anduvo mirando retratos de su hermana Teresa, todos ellos con el nombre del pintor a grandes letras pero ilegibles; al mismo tiempo sentía que la llevaban de la mano (sin ver a nadie) y que era preciso llegar *al subsuelo.* Bajo una arcada de aire quebradizo vio al Imperial Ruso; era un hombre de rosa y blanco, era tambien la arcada, y convenía pasarle al lado sin hablar. Venían escaleras y escaleras, todo tan italiano, caracoles abiertos por donde bajar era un deslizamiento gratísimo, si no fuera por la obligación, saberse llevada. En las paredes del caracol había más cuadros y en uno la firma del pintor era el cuadro mismo, cubría la tela de izquierda abajo a derecha arriba, dejando apenas, en el lugar sobrante, una mano verdosa que sostenía un par de anteojos en la punta de los dedos.

Sonaba como una gotera, cambiando levemente de tono, subiendo, subiendo, bajando, subiendo. Andrés estaba seguro de que era el corazón de Madame Roland: se despertó convencido, alegremente afirmativo. "Qué sueño idiota", pensó sentándose en la cama. Una vez más lo irritó haber cedido al engaño, creer, aceptar que un ruido fuera otra cosa que un ruido. Un minuto antes la alegría de la seguridad, del hombre de fe con su fe; lo avergonzaba esa alegría, haber gozado con la afirmación; en el cuarto en tinieblas se quedó sentado, apoyada la nuca en la cabecera, oyendo respirar a Stella. Alcanzó a tientas el vaso y bebió con gusto: ¿Pero es un vaso de agua? ¿Quién puede asegurar que esta sustancia, suelta en la sombra, continúa su apariencia?" Después se preguntó por qué sus sueños eran tan sonsos, por qué no soñaba las maravillas que le contaban otras gentes. La mujer de un amigo se había soñado muerta, enterrada al modo de *La Extraña Aventura de David Grey*; desde su cristalina profundidad veía los rostros que la lloraban, inclinándose sobre la tumba. Todo ocurría en una gran serenidad y aunque ella hubiese querido gritar, decir que estaba, no viva, no la de antes,

que estaba ahí, solamente,

y que veía,

la mecánica de la fosa no la dejaba. Entonces vio cómo su madre, llorándola siempre, plantaba un rosal sobre su tumba; desde la vítrea hondura lo observaba todo. Y su madre se fue, pero no la planta; la planta crecía, y su raíz bajó, creciendo, como una espada blanca. La sintió llegar hasta ella, y atravesarle el pecho.

Unos dedos sostenían un par de anteojos. El marco era vetusto, como de yeso carcomido, con vetas verdes y rosadas. Suavemente, de puntillas en el peldaño, Clara le echó el aliento. Ya la reclamaban otra vez, había que llegar al subsuelo. Entró en el comedor de su casa, riéndose.

—Me pasó algo tan curioso —dijo, y su madre alzó los

ojos del bordado y la miró.

—Iba al empleo y Andrés me esperaba para venderme el diario. Tenía gorra de diariero y un aire cruel.

—Es raro, porque en general los militares son otra cosa —dijo su madre. A Clara no le gustaba el tono de su voz y se acercó para mirarle los ojos. De chica hacía siempre eso con su madre. "Quiero oírte los ojos", le decía. Por sus ojos supo cuando su madre iba a morir mucho antes de la hemiplejía. "Ah, esta mesa", pensó incomodada, tratando de rodearla, pero la mesa como llena de golfos se ponía entre ella y su madre otra vez sumida en la labor. "¿Por qué piensa que Andrés no puede venderme el diario? Y esa manera de no mirarme, esa zorrería..." Empujaba la mesa con el vientre, con las manos; iba como al salir del río, en una arena de aire, en un agua blanduzca de caoba con centro de mesa de macramé.

Esta vez le gustó sentir el cordón de la bata entre los dedos. Cuidando de no despertar a Clara, que dormía mal y estaba otra vez revolviéndose y gimiendo, caminó hasta la ventana y la cerró. La niebla olía, a castañas asadas, a cloro. "Increíble que pueda ser tan densa", pensó Juan. La olía, goloso, un poco extrañado. "A lo mejor el cronista tiene razón y es un fenómeno nuevo", pensó. Apoyando la nariz en el vidrio, se movió hasta que una rendija de la persiana le dejó ver la casa de enfrente, la calle, un vago farol envuelto por un enorme halo. Estaba casi dormido, de pie, apoyada la frente en el vidrio tibio, y miraba la luz de la esquina con ojos entrecerrados. Su infancia en Paraná, un verano húmedo, el parque Urquiza, las barrancas con el frontón de pelota allá abajo. Jugaba a la pelota y bebía chinchibirra, se bañaba en la isla, deslumbrado por el sol y la masa terrible del río, muerto de hambre después del baño, comiendo sándwiches hasta hartarse. Pero era la luz la que ahora recordaba, los focos de las esquinas por las noches: el universo: millares de insectos en una locura de órbitas fulminantes alrededor del foco, vibrando al unísono con una palpitación enceguecedora, zumbando con el movimiento de las alas y el rebotar incesante de los cuerpecitos contra el vidrio caliente. Por el suelo se arrastraban las catangas, y a veces un mamboretá desataba su pesadilla verde; el resto eran cotorritas, cascarudos, toritos, avispas, y a veces, pequeño planeta rubio perdido, una abeja desconcertada, tontísima, que se hacía matar de un manotazao.

"Los cínifes de Uspallata", pensó, volviéndose casi dormido a la cama, dejando caer la bata con un gesto de entrega. Veía la luz cenital, un arroyo de montaña, berros y juncos; oyó un balido lejano, un alto grito de pastor. En el aire, bajo el sol, un huso vibrante de cínifes giraba en millones de puntos luminosos. Malla aérea, espacio amenazando concretarse, geometría de cristal vivo, los cínifes! Ocupaban su huso, lo hacían vivo y torbellinado, giraban en él, límite y contenido de su mundo transparente, sin moverse del lugar que ocupaban en el aire. Sentado a poca distancia, veía el huso suspendido en el espacio, como si sólo *ese* espacio fuera el suyo y a su lado o más arriba no cupiera llegar. Nunca supo cuándo cesaba la danza, adónde iban los cínifes y a qué hora se disipaba, en el aire líquido, el fantasma translúcido.

—Pero sí, sí, me vendía los diarios. ¿Por qué no puedo acercarme, mamá?

—Porque tu padre se enojaría.

—Oh, qué ridículo —decía Clara, metida en el pantano a medio cuerpo de la mesa. Y cuando miró para atrás, asombrada al sentirse ceñida, vio que estaba ya en el centro de la mesa, que había conseguido avanzar hasta el medio y que ahora era el centro de mesa, una bailarina de rígido tutú que la paralizaba. "Andrés, Andrés", pensó — y su voz resonaba como en una cámara vacía, pero su madre siguió bordando sin alzar los ojos. "Andrés, oigamos fanfarrias." Necesario que oyeran fanfarrias juntos, porque eso sería la señal del pacto, el encuentro. No importaba que su madre hubiera pronunciado la horrible frase. "Una fanfarria y un contrapunto." Entonces sería perfecto. "O sola-

mente una fanfarria." Lejanamente oyó resonar
fanfarria pero no era fan fan la fanfarlo
fanfan la tulipe
el fan - tan el fan gogh c'est l'Ophan

"Se precisa ser realmente imbécil", pensó Andrés, resbalando hasta quedar de espaldas. " ¡Madame Roland! Hipnos, cuantas gansadas se cometen en tu nombre — "Estaba muy despierto, sintiendo que la fatiga le aplastaba la cabeza en la almohada, incapaz de dormirse. Imaginó planes de acción, necesitado de algo que lo apartara de la idea a la que volvía como una mosca. Higiene de vida: suspender la asistencia a la Casa, alejarse de la barra habitual, cultivar relaciones idiotas que lo mantuvieran en la vida por contragolpe. No volver a la Casa. Para qué ir, Stella que se las arreglara sola. Elegirle el Doctor y que vaya a instruirse solita. Entretanto — "Esa es la cosa", pensó. "El entretanto: la vida es ya como un enorme entretanto. Oh soledad, tanatógeno!" Pero no se trata de estar solo sino de aislarse en plena comunidad, lograr un autoconciencia total: después de eso lo mismo da Florida que la punta de Atacama. "Nunca llegaría a conocerse, nunca; ir a la Casa, acercarse a Clara, oír la voz de Clara, vivir con Stella, prórrogas, la dilación que dura toda la vida, el aplazamiento hasta el final del único deber que contaba: *to thine own self be true*". ¿Cómo, sin saberlo antes, sin hacer nada por saberlo? "En mi acción está mi inacción", pensó, sonriendo amargo. "Opto todos los días por no optar". Empezaba a dormirse, sonriendo todavía. Alcanzó a pensar que no hay problemas, que un problema es siempre una solución vuelta de espaldas. Decidirse, optar... epifenómenos; lo otro, la raíz del viento, oculta en la carne de la culpa. "Una lástima que ése sea el problema; porque el problema no es ése". ¿Quién lo habría dicho? Riendo, se durmió.

Antes, y porque la visión de miel de los cínifes lo había llenado de ternura y melancolía, Juan se entretuvo en pensar el probable desarrollo del examen. Principiaré por resumir, en sus rasgos generales, las ideas básicas de la metafísica de Whitehead. Cabe decir que la estructura del ser, para Whitehead, se da con la compacta solidez lógica del universo parmenídeo; prueba es que, apenas plantea él la visión analítica del cosmos, la interdependencia casi monstruosa de cada ser con todos los seres se traduce en un juego que...

¿Y se puede saber, joven, qué es eso de "monstruosa"?

—Pues, señor profesor, claro que se puede saber. Whitehead

White
head White Horse
O sleep sweet embalmer of the nifht

En su piecita, muy cerca de las estrellas, dormíase el cronista.

III

—Pero el gobierno lo ha desmentido categóricamente —dijo el señor Funes.

—No creas en las categorías, papá —dijo Clara.

—Y vos no salgas con tus frases neosensibles.

Juan silvó violentamente, sobresaltando al Bebe Funes que limpiaba con genio (si el genio es una larga paciencia) su boquilla con filtro antinicotínico.

—*Che gelida manina* —cantó Juan, tironeando de Clara que miraba enfurruñada a su padre—. *Andiamo in cucina, cara, Ho fame, savee?*

—Esperáte un poco. Nosotros vimos todo eso, anoche. Qué gobierno ni qué ocho cuartos.

—Ocho cuartos —dijo el Bebe, soplando la boquilla y mirando a través—. Frase optimista de los tiempos en que había ocho cuartos. Conformáte con un ambiente y dos placards, nena.

—La metiste, viejo —le dijo Juan, palmeándolo con afecto—. Te confundiste de acepción. Pero no importa porque lo que dijiste tenía sus momentos notables. Y Clara está en lo cierto, señor suegro. Anoche lo vimos, y nadie puede desmentir que la estación se anuncia llena de extraños presagios y aún más extraños cumplimientos.

Clara sonrió.

—Habrán llegado las criaturas diabólicas —dijo—. *Gilles et Dominique, Dominique et Gilles* —

—Apenas signos —murmuró Juan, alzando la boquilla del Bebe contra la luz que rebotaba en todas las copas de la cristalera—. Nada, en realidad.

—Algunos andan como sonsos —dijo el señor Funes, produciendo la fuerte impresión de que nada tenía que ver con ellos—. Es la psicología de las multitudes, el pánico irracional. Como los cometas. El gobierno hace bien en tranquilizar a la población. Es rdículo dejarse llevar por pavadas. Como cuando la empiezan con la polio no sé cuánto.

—La poliomielitis —dijo el Bebe, muy serio.

—Eso. Total —dijo el señor Funes, convencidísimo— no se gana nada con sembrar el desconcierto, cuantimás que no se sabe lo que pasa.

—Las condiciones son por tanto óptimas —dijo Juan—. Pero comamos Clara. Decíle a la cocinera que se mueva.

—El concierto es a las dos —dijo el señor Funes.

—¿Tan temprano?

—Es en *matinée.*

—Ah. Bueno, yo creo que podemos comer, papá. ¿Le digo a Irma?

Pero Irma entraba con la mayonesa, y los cuatro se sentaron con cierto apuro y desplegaron vivamente las servilletas. El Bebe tenía nicotina en los dedos, se los olió con disgusto y se fué al baño. Juan aprovechó para murmurar una excusa e irse tras de él. El Bebe se lavaba despacio, resoplando. No contento con jabonarse las manos se frotó la cara y resopló el doble.

—Che, decíme una cosa: ¿qué es eso del concierto?

—Ah, no sé nada —dijo el Bebe—. A mí dame a Pichuco o Brunelli, y una mina pa la milonga. Nada de clásico, pibe, nada de clásico. Una sola vez me llevaron al Colón y vi una ópera donde había una cueva y no sé qué más. Dejáme de macanas.

—¿Pero qué concierto es?

—¿Y yo qué sé? — dijo el Bebe—. Total, los que van son ustedes.

Juan volvió al comedor. "Increíble que se le ocurra meternos justamente hoy en un concierto", pensó, comiendo mayonesa con un apetito enorme. "Claro que ayer yo le dije que iríamos, pero lo que deberíamos hacer es dormir otro poco, estar frescos para esta tarde". Clara tenía ojeras, un pliegue de fatiga en la boca, y hablaba en voz baja.

"Con tal que no se me asuste", pensó Juan, "como aquella vez en primer año

o era en dejáme ver no, era en tercero, filosofía de tercero. Le preguntaron quién era Hegel y dijo que un amigo de Copérnico". Se ahogó con el vino, el Bebe que entraba se puso a darle trompadas en el lomo. Le pegaba de veras, divertidísimo.

—Se ríe solo como los locos —dijo Clara, acariciándole una mejilla para sacarle una lágrima que le resbalaba.

—Aunque sea plagiar a Chesterton —murmuró Juan, carraspeando—, conviene que sepas que ningún loco se ríe solo. Lo que se llama reír, entendés. Apenas si a los seres más elevados les es dado el derecho de prescindir del interlocutor y sin embargo reírse: esa risa es divina, porque se crea a sí misma y se complace a sí misma. Una especie de masturbación epiglótica.

—Anoche fue igual —se quejó Clara con la voz de los mimos—. Me dijiste mosca perruna y después te revolcaste cinco minutos. Bebe, ¿cómo está la señora del ocho?

—Mejor, creo. Papá mandó preguntar anoche.

—Casi se muere —dijo el señor Funes—. Son los achaques de la edad. Te quiere mucho a vos, siempre me pregunta. Todos los vecinos me están preguntando siempre por vos.

La sombra de una paloma pasó por el mantel. Irma trajo la carbonada y el teléfono para la niña Clara.

—¿Titina? ¿Cómo sabías que estaba en lo de papá? ¡Ah, claro!

—Titina es un churro inconmensurable —informó el Bebe a Juan—. Ex compañera de colegio de ésta. Algo increíble. Rema y le gusta el drogui.

—Sí ya lo sé —dijo Juan—. Yo cultivaba a tu hermana para tener gancho con Titina. ¿Verdad, Clara?

—Mentira —dijo Clara, tapando el teléfono—. Pero sí, Titina cuando te venga bien. Yo encantada. Ah, eso... Sí, anoche era raro.

—Dale, ya salió de nuevo —dijo el señor Funes—. Me imagino que medio Buenos Aires está llamando al otro medio para asustarlo con esas macanas. Hasta han dicho que se hundió un buque en el puerto.

—Puede muy bien ser —dijo el Bebe—. En las películas con niebla siempre suena algún paquebote. Che, besuquiála en mi nombre.

Pero Clara había cortado y comía carbonada.

—Poné despacito la radio, Bebe —dijo el señor Funes—. Vamos a ver si hay otro comunicado. Me parece que se está yendo el sol.

—En realidad no ha habido lo que se dice sol —afirmó Juan, mirando irónicamente cómo el Bebe manipuleaba la radio—. Es muy raro, en el cielo brumoso, un dosaje tan brillante de luz solar. ¿Ustedes vieron pasar una paloma por el mantel? Una sombra, apenas un segundo.

—Si era una sombra, entonces había sol —dijo el señor Funes—. Poné Radio del Estado, Bebe.

"Tiene miedo", pensó Juan. "Está duro de miedo mi señor suegro." Y de golpe comprendió lo del concierto, la necesidad de hacer algo, de escapar del acoso de

de qué

LAS CHICAS NO SON
JUGUETES DE AMOR

—Sacá ese tango —dijo el señor Funes—. ¿Te agrada el queso y dulce, hija?

—Sí, papá —dijo Clara, soñolienta—. Las chicas no son juguetes de amor. ¿Y qué son, entonces?

—Amor de juguete —dijo Juan—. Preciosura, ¿quién sospechó el primero la grandeza de Delacroix?

—Bolilla tres —dijo Clara—. Nadie lo sabe, pero probablemente Delacroix mismo. Y después Baudelaire.

—Muy bien. ¿Y cómo se llama el famoso libro de Tristan Corbière?

—*Les Amours Jaunes.* ¿Y quién habla mal de Emile Faguet en un ensayo sobre Baudelaire?

—Menalcas —dijo Juan, guiñándole el ojo—. ¿Y qué opinás vos del simbolismo?

—A los efectos del examen, opino lo mismo que el doctor Lefumatto.

—Aprobarás, pero te irás secando —dijo Juan—. Don Carlos creo que su hija va a aprobar, si llega sana y salva al fin del examen.

—¿Qué querés decir con eso?

—Nada, vamos —dijo Juan, sorprendido a medias—. Nadie puede saber si atravesará felizmente el Styx de la bolilla siete. Además, usted me perdonará, pero eso de ir a un concierto antes del examen...

—Quién sabe —murmuró Clara—. A lo mejor nos hace bien. Es inútil seguir estudiando. —Sonó el teléfono, pegado al plato de Clara, y ella hizo un gesto brusco y volcó una copa de agua.— Hola. Sí. Ah, la señora de Vasto. Muy bien, señora. —Haciá señas al Bebe para que bajase la radio de donde venía un *allegro* a toda orquesta.— Estamos todos muy bien. Ah, qué pena. ¿Y ya va mejor? Claro, en esta época... No, ¿por qué?

—Ya salió —dijo el señor Funes—. Otra que anda difundiendo especies.

"Duro de miedo", pensó Juan, casi con envidia. "Un palco, un concierto. Realmente encontró la manera física de encajonarse por tres horas. Un palco: el gran refugio, el caracol. Te la debo, pibe".

> A la hora del almuerzo, a la hora de la cena, usted
> será feliz si
> dio Splend
> *and they swam and they swam all over the dam*
> bado por Hugo del Carr
> sejo de seguridad de las Naciones Unidas reunido en

—Qué lástima —dijo el señor Funes—. Ya han pasado las noticias argentinas. Habrá que esperar el próximo boletín.

—Y que se mejoren todos —terminó Clara, que hablaba con los ojos cerrados como en realidad se debe hablar por teléfono. Depositó el manual en la horquilla y se miró la palma de la mano—. Qué humedad. Se queda una pegada a todo.

> Rácing le abrió las puertas de oro para que volara alto. Y Huracán le dio anchura de cielo para que alcanzara cimas de cóndor. Y Uzal, sentido perfecto del jugador profesional, se dio todo a la nueva división. Y allí lo vemos hoy, magnífico, caprichoso, con sus intervenciones volatineras, inteligente y vi-

goroso, listo para ponerle maneas a las proyecciones de los ribereños porteños.

—Cortá la radio, Bebe —dijo el señor Funes— y vení a comer la mayonesa. Irma, a las seis baje a comprar los diarios aunque yo no haya vuelto todavía.

—Sí, señor —dijo Irma—. ¿Compro los tres, señor?

—Los tres. Tu plato, Clara.

—Poco, papá. Papá... ¿el palco es para cuatro?

—Sí. Dame tu plato, Juan. ¿Querés invitar a alguien?

—Al cronista —dijo Juan—. Ya está: lo invitamos al cronista. ¡Miren!

Pero la sombra había pasado tan leve y rápida por el mantel que sólo vieron el dedo de Juan señalando grotescamente la nada.

—Bueno —dijo Clara, cautelosa—. Entonces invitálo al cronista.

—¿Vos tenías otro candidato?

—No, no había pensado en nadie. —Y le pasó el teléfono. Irma vino a llevar la fuente de mayonesa y dejó una carta al lado de la mano libre de Juan, que se reía de la voz adormilada del cronista. Clara miró el sobre, miró al Bebe, otra vez al sobre. La letra era grande, irregular. Abrió la carta bruscamente.

—Pero pibe, dejáme de macanas —decía Juan—. Está bien que el diario te exprima el líquido cefalorraquídeo, pero que se dejen de embromar un poco. ¿Cuándo vas a tener un día de paz?

—¿Te parece poco la vagancia infinita de anoche? —decía el cronista con una vocecita resfriada.

—Vení con nosotros. Un palco, che. Viste mucho.

—No puedo. Y dejá de jorobar con el palco. No te veo a vos en eso. ¿Por qué vas?

—Qué sé yo —dijo Juan—. Como estamos en capilla, es bueno distraerse en algo. ¿Así que no venís?

—No. En el diario están como locos. Casi me suspendieron porque anoche no los llamé cada hora como parece que me habían ordenado.

—¿Y eso?

—Nada, los hongos —dijo el cronista— Pavaditas que están pasando. Todavía no tienen el análisis de la niebla, pero ya hubo dos comunicados de la policía y una vieja armó un escándalo horrible en Diagonal y Suipacha; de esto hace media hora. Histeria a baldes, querido.

—Lo que te has de divertir —murmuró Juan—. En fin, comprendo que no vengas.

—Me alegro —dijo el cronista—. Anoche, para dormirme, me recité un poema tuyo. Chau.

Juan colgó, riéndose. Sentía la mano de Clara en el bolsillo de su saco, un roce de papel.

—No la leas ahora —dijo Clara, mirando el plato—. No, papá, no quiero carbonada. Dale al Bebe que está flaco.

Juan cerró con llave, bajó la tapa del inodoro, y después de encender un cigarrillo y acomodarse a gusto, se puso a leer la carta. Por la ventana de vidrios esmerilados entraba el resplandor amarillo y violento de los bancos de niebla; desde una radio de otro piso venía la voz de Toti Dal Monte gallineando activamente. Pero el señor Funes, en el comedor, volvía a la radio en busca de noticias, y ayudado por el Bebe removía el dial de punta a punta. Hubiera querido telefonear a *La Prensa*, ese recurso final y sibilino, esa consulta *in extremis* al trípode; pero le daba vergüenza.

Clara pidió permiso por un minuto y se llevó el teléfono al cuarto que había sido de su madre, donde el Bebe desplegaba ahora sus *pin-up girls*. Pensó en Juan leyendo la carta de Abel, porque era seguro que Juan la estaba leyendo en el baño, en el recinto de los secretos, del primer cigarrillo, del primer fantasma al que se abraza gimiendo. Discó el número de Andrés.

—Sombra de los dioses —dijo la voz de Andrés—. Hola.

—Es bonito —lo felicitó Clara—. Está muy bien. ¿Tenés un surtido variado, o repetís siempre lo mismo?

—Es que en realidad me había apretado un dedo al cerrar la puerta —dijo Andrés, un poco confuso—. ¿Y a qué debo tan alto honor?

—Si pudieras oír —dijo Clara—. Hay una urraca chillando en la palmera de casa. Deliciosa.

—El teléfono es para los grandes ruidos, es decir para la insignificancia.

—Sí, y ahora soy yo hablándote —dijo Clara. "Por qué todo lo que verdaderamente importa tengo siempre que decirlo por teléfono", pensó mientras del otro lado se hacía un largo silencio.

—No quise decir eso —dijo por fin Andrés.

—Ni yo creí que me lo decías. Pero es cierto. Salvo que nosotros no nos hablamos casi nunca.

—Bueno, nos andamos viendo por todas partes.

—Sí, es cierto.

—Ahora que está muy bien que hayas llamado —dijo Andrés, y Clara notó el esfuerzo astuto con que generalizaba, evitando el "me" la atribución vanidosa de la llamada. "Tengo que hablarle de esto", pensó, con un raro dolor en las sienes en la raíz del pelo. "A los santos les ha de quemar así el halo." Oyó a Andrés que tosía, alejando la boca.

—Hace calor —le oyó decir—. ¿Vos pudiste dormir?

—Mal, a los saltos —dijo Clara, con unas raras ganas de llorar, como si él le hubiera dicho algo extraordinario, inefable—. ¿Y ustedes?

—Más o menos.

—Es el calor.

—Sí, supongo.

—Oíme —dijo Clara, imaginándose a Juan con la carta en la mano, su cara—, papá tiene un palco para un concierto de Jaime no sé cuanto. ¿Querés venir con nosotros tres? Salimos dentro de diez minutos.

El silencio le traía la vacilación manifiesta de Andrés.

—Sombras de los dioses —dijo Clara, sin ningún deseo de burla, nada más que dándole un apoyo. "No se lo puedo decir por teléfono", pensó. "Allá, un minuto en el antepalco. Pero para qué, si..."

—Mirá, Clarita, te agradezco tanto —dijo Andrés.

—Está bien. No hay que ir sin ganas.

—Gracias. Creo que no necesito usar rodeos. Sencillamente no me siento como para música.

"Pero entonces tendría que decírselo ahora", pensó Clara. Oyó al señor Funes que golpeaba en el living con el bastón, llamándolos a la mesa.

—No sé, me hubiera gustado hablar con vos —dijo.

—Yo pensaba ir esta noche a la Facultad.

—Ah. Entonces... ¿Y para qué tenés que ir a la Facultad? —Le gritó histérica.— ¿Te gusta ver colgar a la gente? Perdonáme.

—Sí, ya sé. El calor —dijo Andrés, con una rara voz de payaso.

—Hasta luego. Perdonáme.

—Hasta luego.

Cuando entró Juan, le dijo:

—Lo llamé a Andrés por si quería ir al concierto.

—Difícil que haya agarrado.

—Sí, no quiso. Lástima.

—Sí, lástima —dijo Juan, mirándola—. Supongo que querías hablarle de esto.

—Sí. Sería bueno que él lo supiera. Vos sabés cómo nos quiere.

—Tu padre también nos quiere mucho, y no le vamos a decir nada.

—Es distinto —dijo Clara, sin mirarlo—. Al fin y al cabo no es para tanto. Con no hacer caso. No vamos a denunciarlo, ni nada por el estilo.

Juan se sentó al borde de la cama del Bebe. El bastón del señor Funes venía por el zaguán, entró furioso en la pieza. Dos golpes. Otro. Molière, o poco menos.

—¿Qué diablos hacen aquí?

—Teléfono —dijo Clara, y lo señaló como si fuera un bicho.

—Volvamos al comedor —dijo el señor Funes. ¿No van a comer el postre?

—Pero si no hay tanto apuro, papá.

—Es la una y media —dijo él—. Cuanto antes salgamos mejor.

Y bueno; irían al concierto; peor era esperar fumando o dando vueltas. Al pasar ante el espejo Juan se vio la cara mojada de sudor. A la altura de la ventana, un chico repetía: "¡Ya vas a ver, vas a ver, vas a ver, vas!"

Clara terminaba su postre, y el Bebe recortaba una figurita de *Life*; en el plato de Juan el queso se extendía como una goma amarilla.

—Doble crema —le dijo al Bebe—. Muy bueno para los examinandos.

—Y eso que viene de la heladera —dijo el señor Funes.

—¿Estás contento con la heladera? —preguntó Clara, distraída, comiendo.

—Ah, perfecta. Nueve pies cúbicos, maravillosa.

—Algo grande —dijo el Bebe—. Dan ganas de meterse adentro.

—Vuelta a Egipto —dijo Clara.

Juan oía, lejanamente. Trajeron la mayonesa y comió un poco, pero el recuerdo de una referencia del cronista le preocupaba, algo sobre hongos. Pobre cronista.

—Las de seis pies cúbicos no valen nada —le decía el padre al hijo.

—Muy chicas —dijo el Bebe—. Ponés un repollo y una zanahoria y ya no te cabe más nada.

—Y además ésta tiene frío seco.

Clara comía la mayonesa entornando los ojos y apoyándose la frente en una mano.

—Los del cuatro tienen una a querosene. Asquerosa.

—Una porquería. No me vas a decir que con querosene se puede producir frío.

Suspirando, Juan se levantó para sentarse más lejos, en el sofá que había sido el preferido de su suegra. Se puso a escribir, tristemente, olvidado de Abelito, del examen. Después le pasó el papel a Clara que había venido a sentarse con él. Clara vio que los versos estaban escritos en el sobre de la carta, despegado y extendido como una cruz. En un extremo Juan había dibujado torpemente una heladera.

—Entronización —leyó Clara en voz alta.
Aquí está, ya la trajeron, contempladla: oh nieve
azucarada, oh tabernáculo!

El día era propicio y mamá fue por flores,
y las hermanas suspiraban, fallecidas.

Aire de espera, acceso al júbilo, ya está! ¡Aleluya!
¡Corazón sin dientes, cubo del más cristal, taracería!
(Pero el padre dispone pausa pura, y persiflora
el silencio con las manos compuestas: sea
contemplación.
Estábamos. Osábamos,
apenas —)
Aquí está, ya la trajeron, nieve tabernáculo.
Mientras nos acompañe viviremos
mientras ella lo quiera viviremos

Hosanna, Westinghouse, hosanna hosanna.

—Vos sos loco —dijo el Bebe.

—Al final no se entiende nada, como siempre —dijo el señor Funes—. ¿No comen carbonada? —Llamó a Irma para que trajera cubiertos bien secos, e Irma dijo que era la humedad del día; tomaba muy a pecho las observaciones. Agradeció al Bebe que la defendía con gracia, y secó vigorosamente un plato playo para que el señor Funes se sirviera carbonada.

—Es cruel —murmuró Clara, apoyándose en Juan—. Todo lo que escribís ahora me parece tan cruel.

—Es preciso. Razones de la cólera.

—Pobres de nosotros —dijo Clara, como dormida—. Todo lo que nos falta andar, y tan cansados.

—No son la misma cosa el andar y la fatiga. Si se pudiera aprender a disociarlos.

En voz muy baja (y cómo rabiaba el señor Funes), agregó:

—Necesito una poesía de denuncia, sabés. No una idiotez socialoide, no un curso por correspondencia. Qué me importan los hechos, lo que denuncio es el antecedente del hecho, esto que somos vos y yo y el resto. ¿Creés posible una poesía en esta materia tan corroída y tan rabiosa?

—Escuchá el boletín, y en un intervalo yo te telefoneo desde el teatro.

—Sí, papá.

—No sé —dijo Clara—. Es tan raro que la poesía pueda no ser hija de la luz.

—Pero puede serlo, querida —murmuró Juan—. Ella misma sube a su verdadera patria. Ella sabe en qué regiones el canto no es posible y libra la batalla para liberarse.

—Sobre todo estáte atento a cualquier cosa. No hay nada peor que el pánico.

—Pero sí, viejo.

—No sé —murmuraba Juan, perdido—. Quisiera llorar toda una noche, y despertarme después a mi verdad. Estoy rondando la casas, y duermo en los caminos.

—Yo soy un pedacito de la verdad —dijo Clara—. Qué bobamente suena, ¿verdad? El radioteatro ha liquidado la ternura.

—¡Mis llaves!

—Irma, las llaves del señor.

—De frente, march —murmuró Juan, levantándose—. Vamos, vieja, ¿Cómo te sentís?

—Hórrida. Daré un buen examen, creo que voy a tener fosforescencia.

—¿Hegel, amigo de Copérnico?

—Dale, reíte de mí. Reíte.

Pero Juan no se reía. "Ahora es la cosa", pensó. "La calle, estas horas que faltan. Qué idiota, amenazarla así. Un anónimo, el muy cretino, con esa letra de vaca que le conocemos de toda la vida". Y casi sentía lástima de Abelito, pero tendría que hacer algo de todos modos, frenar ese avance hacia ellos: primero la cara

TAN BLANCA
bajo el chambergo azul

y después su letra, la primera acción directa. Ya no era bastante no hacerle caso. "Demos el examen", pensó Juan, sacudiéndose como un perro mojado, "y después lo iré a buscar". Como toda planificación, esto lo puso contento, le ordenó las ideas. *How to Stop Worrying and Start Living*, veinte pesos enc. en tel.

IV

Como tan bien dice César Bruto: Con la cosa de las demolición, Buenos Aires ya no es lo que era antes. *Non sum qualis eram bonae sub regno Cynarae.*

Y así ocurrió que el señor Funes, al ver que el taxi los traía por 9 de Julio sobre la banda que fué Cerrito, se quedó helado contemplando la fachada posterior del Colón, a la que las autoridades acababan de plantarle una marquesina *pour faire pendant.*

—Pero aquí enfrente había un café —dijo.

—Había —asintió Clara.

—Un café donde se juntaban los músicos.

—Ajá.

—Extraordinario —dijo el señor Funes—. Cómo ha cambiado todo en tan poco tiempo.

Miraba al fondo de la avenida, el tráfico confuso, la vaga perspectiva entre los bancos de niebla. El taxi patinó al girar por Tucumán, y Clara tuvo como una náusea en el instante de deslizamiento.

—Morirse debe ser parecido —le dijo a Juan—. Un cambio como de movimiento. En realidad el movimiento del auto es el mismo, pero cuando hace el trompo la calidad cambia: algo blando, irreal, como si no tocara el

—Lo toca, pero con las ruedas quietas.

—Justamente eso. El que se muere es como la rueda: quieta, y entrando en el nuevo movimiento de su quietud. Papi, son cinco setenta.

—Vamos, tonta —dijo Juan, sacando dinero—. Ya está, Don Carlos.

—Me apena que hayan volteado el café —dijo el señor Funes—. Y qué raro parece el Colón con esa parte a la vista, y ...

"Obsceno", pensó Juan. "Sí, ciertas fachadas desnudas, de pronto es la pornografía". Se preguntó si ese tipo de la escalinata no sería

pero claro que era

—En realidad vengo por deber profesional —dijo el cronista algo confuso.

—¡Pero es estupendo!

—No, qué va a ser. Tenemos un trabajo de mil... —Y saludó al señor Funes, a quien no conocía, mientras guiñaba un ojo a Clara—. Che, es emocionante ir a palco. Yo al Colón lo conozco como a la carne de vaca, de todas partes salvo el lomo. Buen chiste.

—Ganadero —dijo Clara, mirando a la gente del *foyer*, las caras blancas, caras grises, caruchas carotas, caretas, caronas, viendo escotes, carteras (apreciadas con rápido juicio, porque amaba las carteras bonitas), viendo luces y a un señor rengo que subía lentísimo la escalera con esa suave irrealidad que da el silencio de las alfombras, oyendo el cloqueo de los grupos ya compuestos, palcos prefabricados que subían a meterse en su envase: entonces, por primera vez con violencia, con terror, el examen.

Sujetó el brazo de Juan, apretándose tontamente contra él. Oía al cronista explicando al señor Funes que el diario llevaba ya dos boletines extra y que otro saldría a las cuatro.

—El diario quiere pulsar el clima de los distintos sectores de la población.

(y era tan cómico oírlo al cronista autocopiando su jerga de redacción)

y en razón de mi cultura artística, me ha encomendado pegarle una balconeada a este concierto.

—Pero para eso debías irte al paraíso —dijo Juan.

—Vos sabés muy bien que las noticias sobre el paraíso están todas fabricadas en la tierra. Buen chiste.

—Tu diario y sus encuestas me parecen bastante idiotas —dijo Juan.

—Que querés, a la gente ya no le basta que las cosas ocurran sólo ocurren realmente en el minuto en que las leen en la quinta o la sexta.

—¿Y usted cree que hay pánico? —preguntó el señor Funes, que lo creía.

—Bueno, pánico es mucha palabra. Lo que hay es extrañeza, y nadie acepta otra cosa que las mentiras, con lo cual los comunicados del gobierno alcanzan un éxito prodigioso.

—*The yellow press meets the yellow nineties* —se burló Juan—. Ojo que están llamando.

El palco era balcón sobre la derecha. En la platea, ya enteramente ocupada, había un conversar presuroso, como agotando las noticias antes de que se apagaran las luces. Sentada junto a Juan, adelante, Clara oyó a su padre interrogar impacientemente al cronista que no parecía nada dispuesto a referirse a su trabajo y a sus noticias.

—Conviene ser discreto —decía—. No se gana nada con lanzar hipótesis que los resultados de los análisis y los peritajes desmentirán.

—¿Análisis? —decía el señor Funes.

—Sí, claro. En el diario estaban analizando la niebla. Todavía no se conocen los resultados.

—¡Analizando la niebla!

—Analizando la niebla, sí señor.

Juan acarició el pelo de Clara, que estaba muy bonita.

—¿Querés que te deje ver la joya de las grandes noches?

—Sí —dijo ella, como recordando de golpe—. Sí, pronto, antes de que se apague.

Juan se quitó los anteojos y los sostuvo delicadamente a la altura del pecho. Inclinándose, Clara miró el reflejo en los cristales: la lucerna, reducida a una doble moneda de oro, brillaba como ojos amarillos, taraceados, menudísimas puntillas de luces.

—Los ojos de Balzac —dijo Juan—. Polvillo de oro, ¿te acordás? Ya no sé quien lo dice.

—Y los ojos de aquel personaje de Felisberto Hernández —dijo Clara—, creo que un acomodador de cine, que echaba luz por los ojos.

—*A dreadful trade*, camarada. Mirá, mirá, se apagan.

Los ojos se esfumaban, sin cerrarse, y en lugar de la luz surgía la forma de la bóveda de la sala, un disco rosado donde las pupilas, opacas ahora pero todavía presentes, parecían mirar su propia contemplación como los ojos de los Bodiwshatvas enajenados. Juan gozó del paralelismo descendente de las luces y los murmullos. "Se apagan las voces", pensó, "es válido decir que se callan las luces. Pero en esta sala hay miedo". Tosían en lo alto, restallaban toses secas, molestas. "Pronto se estarán ahogando de calor, ya ahora está desagradable. Como no entre la niebla —"

—¿Quién toca che? —dijo el cronista—. Ojalá toque algo de Borodin.

—Ya es un progreso, desde que te pescamos con Eric Coates —dijo Juan—. Ahí lo tenés, sabio y antiguo como Homero, y como él precisado de báculo y lazarillo.

—Un caso único de devoción artística —dijo el señor Funes.

Traían al ciego entre dos empleados de librea y peluca. el artista sujetaba con fuerza el violín y avanzaba a pasos breves, que en la escena parecían saltitos de baile. El pianista acompañante entró detrás, corpulento, siguió derecho al piano y se puso a acomodar las partituras mientras el artista quedaba en el sitio justo (tal vez había una marca de tiza en el suelo, para que los empleados no se equivocaran) y saludaba, inclinándose gravemente, y después sacudía la cabeza como husmeando a su alrededor, satisfecho de que los empleados se hubieran ido dejándolo solo.

—Qué macana —dijo el cronista entre dos aplausos—. Yo creía que era un pianista.

—Avisá. ¿Vos también? —dijo Juan, rabioso.

—El violín es un instrumento noble —dijo el señor Funes.

"Habla como la peor es nada de Andrés", pensó el cronista. "Ahora va a decir que es el instrumento que más se parece a la voz humana". Del palco de al lado llegó un susurro: "... la censura. Pero la censura no va a arreglar las cosas". Alguien seguía aplaudiendo, pertinaz; desde las galerías le chistaron. Se hizo un gran silencio, y el violín subió al mentón del artista y se oyeron como frotamientos de insecto mientras afinaba, inclinado un poco hacia el sitio del pianista. "El gran grillo de madera", pensó Juan. "El duro bicho implacable, la llave de los cantos." Buscó una mano de Clara y sus palmas húmedas se tocaron, con una pequeña angustia local de no más allá de las muñecas.

El pianista se había levantado, y reclamaba el total silencio con una imperturbable inmovilidad.

—El maestro —dijo con fuerte acento balcánico— deberá descansar entre tiempo y tiempo de la sonata a Kreutzer

porque el delicado estado de su salud —

Ya aplaudían en lo alto, y no se oyó el final.

—¿Pero por qué carajo aplauden? —dijo el cronista al oído de Juan.

—Porque nacieron para eso —dijo Juan—. Unos hacen las cosas y los otros las aplauden, y a eso le llaman cultura musical.

—No te hagás el Zoilo de ceronoventinco —dijo Clara—. Basta de rabiar contra los demás.

—Silencio —mandó el señor Funes, en quien la emoción era visible. Se sonó fuertemente, tapando a su alrededor el comienzo de la sonata. Clara tenía los ojos cerrados y Juan hubiera querido decirle, vengativo, que era un Giorgione de ceronoventicinco, pero la música lo ganó. Quería pensar, hacerse fuerte en su rápida cólera contra ese carnerismo histérico del aplauso; en vez se abandonó a los ritmos, al sonido un poco seco y como escolar del ciego. Entornando los ojos, vio reducirse la flaca figura del artista a una silueta a la tinta, un muñeco de bruscos sobresaltos, con el pelo blanco agitado por un viento repentino. Tenía algo de chivo emisario, de camino al Gólgota; de sus manos estaban saliendo todos los pecados del mundo; maligno el canto, inútilmente hermoso. Y eso nacía de un mundo de tiniebla, como todas las voces que importan, y caía en una sala falsamente a oscuras, llena de reflejos furtivos, lamparillas de seguridad, tornasol de joyas, mumullos. El grillo chirriaba y todo el teatro dependía falsamente (con una atención montada por el ocio, la afición, el escapismo) del lenguaje casi ridículo en su colérico dialogar con la bocaza del piano, su alternación de voces, sus encuentros y fugas, su irritada materia heterogénea fundida a la fuerza por el herrero de Bonn. "Un ciego tocando a un sordo", pensó Juan. "Que después te vengan a hablar de alegorías." Los aplausos cayeron como una lluvia de arena, y la luz se encendió de golpe, casi con la última arcada.

—Pero es absurdo —dijo Clara—. Comprendo que esté muy viejo, pero un intervalo entre tiempo y tiempo mata toda unidad.

—Lo sentarán en su rincón y le harán aire con la toalla —dijo el cronista, viendo cómo los empleados de peluca se llevaban al artista. El acompañante se quedó en su lugar, y como la gente seguía aplaudiendo, se puso a saludar, a veces desde el piano, a veces de pie y adelantándose al proscenio.

—Hace de nombre profano de Jehová —dijo Juan, mirando a una pelirroja de la platea que se untaba la boca.

—Te estás aburriendo —le dijo Clara.

—Sí.

—Bueno, lo mismo sería en casa.

—Tal vez peor. La forma más abyecta del hastío es la que lo agarra a uno en piyama. Ya entonces no hay salvación. ¿Fumás, cronista?

Se fueron de ronda, mirando a las mujeres con el tono confortable de los intervalos. Los grupos, en el *foyer* y en el salón de los espejos, tenían un aire más deliberado que otras veces; y no era del concierto que se hablaba.

—Practicá tus observaciones —sugirió Juan—. Te puedo ayudar, diciéndole por ejemplo a esa señora que acaba de caerse la torre de los Ingleses. Vos te vas al paraíso y calculás el tiempo de llegada de la noticia.

—Macana, la cosa es seria —decía el cronista, mirando a las adolescentes—. De aquí tengo que irme a los barrios, no sé si elegir la Boca o Mataderos, que son buenas orejas de Dionisio. Lo malo es que me dura el cansancio de anoche, y la fajina que me espera...

—¿Por qué seguís en el diario?

—Porque no encuentro una cosa mejor.

—Cualquier cosa es mejor que el diario.

—No te creas —dijo el cronista, mirando el suelo—. A veces te ligás un concierto, o sos de los pocos que ven el cadáver de la viuda. ¿A vos te parece que aquí hay pánico?

—No —dijo Juan, mirando los grupos, descubriéndose flaco y despeinado en un espejo—. Son los romanos viendo entrar a los bárbaros, con la diferencia de que no se ve entrar a nadie. Fijáte que la ciencia, al mostrarnos que las peores muertes son las invisibles, nos ha curado de muchos miedos físicos. Se puede concebir a un hombre de nuestros días que tiemble ante un ramo de flores, por un miedo metafísico, por aquello de lo bello, primer grado de lo terrible, y apenas se aflija cuando una fortaleza volante le raja su melinita por la cabeza.

—Qué atrasado —dijo el cronista—. Melinita. Fortaleza volante. Bah.

—Menos mal que me dejás el ramo de flores —dijo Juan.

Y se volvieron al palco cuando ya el artista, que había aparecido solo y repentinamente antes de que apagaran las luces, iniciaba el lento. Juan traía mentas para Clara que había atendido mansamente a su padre, empezando a fijarse más y más en las agujas del reloj pulsera.

—¿A qué hora iremos?

—A la salida de aquí —dijo Juan—. Tomamos un café con leche en el bar de Viamonte.

—Empezará tarde, como siempre.

—Sí. No importa.

—Charlaremos con Andrés —dijo Clara—. Me dijo que iba a ir.

La luz de una linterna anduvo por el piso del palco. Juan sintió que le alcanzaban un papel. El acomodador salió, y lo oyeron que tropezaba al entrar en el palco de al lado. Alguien chistó. Clara puso la boca contra la felpa del antepecho y olió fuertemente; la música era hiriente, pero a la vez con algo de bobo, de cansado, de libro de texto para conservatorio. La fértil llanura del Nilo proporcionaba a los egipcios grandes cosechas de trigo, y las épocas de creciente y estiaje del ancho río

y el programa era para el jueves siguiente: 3 conciertos para piano y orquesta, platea dieciocho pesos

"... directamente a casa", dijeron en el

palco de al lado. Concluía el movimiento, y cuando saltaban como frituras los primeros aplausos, el ciego alzó el arco conminativamente y se tiró a fondo en el allegro. Hasta el pianista parecía algo azorado; ahora los dos estaban tocando muy bien.

En la sala se creó ese fluido que más tarde desaparece para dar lugar a la palabra "éxito", y casi nadie tosía. Cuando acabó la sonata mucha gente estaba de pie en las plateas, y desde el paraíso bajó un rugido estridente, como si una polilla pudiese rugir, o un rallador. El señor Funes aplaudía por los cuatro, y hasta Clara estaba conmovida y la ceguera del artista se le apareció como una calidad inmediata, era como *su* ceguera, un atisbo del mundo sonoro donde el ciego se movía a pequeños saltos, con su grillo, su pequeño ataúd barnizado, su linda momia cantora, vaticinando. Ahora el artista acababa de saludar, ya con los dos empleados de peluca a su lado, y salía pero deteniéndose a cada metro, girando el busto hacia la sala, hacia el piano, haciendo vagos gestos de contento, rechazando de pronto las manos solícitas de los dos empelados. Un señor de frac vino por la izquierda, dio unas instrucciones a los empleados, y éstos tomaron con más firmeza al artista y se lo fueron llevando, con el señor a la retaguardia y el pianista que había guardado las partituras en una cartera reluciente y andaba sin mirar a nadie.

—Venía a fumar —invitó Juan a Clara, que seguía con la nariz perdida en la felpa.

—Sentí —dijo ella, obligándolo a oler—. Sentí.

—Huele vagamenta a podrido y a salicilato.

—Debe ser lo que llaman el olor del tiempo —dijo Clara, con un chucho—. Ah, es fascinante. Qué bien quedaba Beethoven con esta felpa.

—Y nosotros —dijo Juan, bajando la voz—. Nosotros, los del palco.

Afuera se encontraron con Pincho López Morales, técnico en *hot jazz* y poesía de Javier Villaurrutia. Pincho les informó que el artista acababa de sufrir un desfallecimiento y que tal vez se suspendiera el resto del concierto.

El cronista se había mezclado con la gente del *foyer*, en la zona inmediata a uno de los guardarropas, y el señor Funes fue en su busca para comentar las noticias. Pincho estaba preocupado por el problema de cómo llenar las dos horas vacías hasta el primer copetín vespertino.

—Salir a la calle con este sol, vos comprendés.

—Si no hay sol —dijo Clara—. Lo inventás para rabiarle encima. No has cambiado, Pincho. Sos el egoísmo con raya al costado.

—Mirá, ex condiscípula querida, yo no le deseo mal al artista pero tampoco es justo que le desacomoden a uno así los programas. Todo es planificación, como bien sabés. Estas dos horas son un agujero en la pared. Si miro por él, ¿qué veré? La calle Libertad, Corrientes, el mundo ancho y ajeno. Por lo menos las paredes sirven para interponer cuadros entre esto y aquello.

—Así es, Pincho, así es.

—Aparte de eso —dijo Pincho— la calle está, cómo decirte, está bastante rara. Mamá quiere que nos vayamos a *Los Olivos*. Casi voy creyendo que tiene razón.

—Técnica de avestruz —dijo Juan—. Claro que yo lo digo porque no tengo una estancia. Sí, Wally, yo creo que Schumann no hizo exactamente música, que su lenguaje del *Davidsbündler* y el *Carnaval* está a las puertas de un arte distinto.

—¿Sí? —dijo Wally López Morales—. Pero los elementos son los mismos.

—Con palabras se hacen la prosa y la poesía, que en nada se parecen. Schumann intencionalizaba

usted me perdonará

su música, la acercaba a una forma enunciativa . que no era ya estética

o mejor que no era solamente estética,

y por supuesto tampoco literaria, es decir que no daba gato por liebre. Su música me suena un poco a rito de iniciación. Jamás me ocurre eso con Ravel, digamos, o Chopin.

—Sí, Schumann es extraño —dijo Wally, que era buena interlocutora—. Tal vez la locura...

—¿Quién sabe? Oiga esto, Wally: Schumann sabía que estaba en posesión de un misterio, y con eso no digo que fuera un misterio trascendental; lo que su obra revela es que tenía conciencia oscura de ese saber, pero que a él le era tan desconocido como a los demás. El antisócrates: sólo sé que sé algo, pero no sé qué. Parece haber esperado que su sistema musical lo fuera diciendo, como Artaud lo esperaba de sus poemas. Fíjese que se parecen.

—Pobre Artaud —dijo Wally—. El perfecto calidoscopio: su obra pasa de mano, y en ese instante cambian los cristales (cambia la mano), y ya es otra cosa.

—Quizá —dijo Clara, que estaba entre ellos— las obras que importan no son las que significan, sino las que reflejan. Quiero decir las que permiten nuestro reflejo en ellas. Un poco bastante lo que sugería Valéry.

—De donde se extrae una vanidosa consecuencia —dijo Wally—. Y es que los importantes somos nosotros. Tu idea es el artículo primero del estatuto de un club de lectores. Por mi parte, prefiero hacerme chiquitita y dejar que el libro se me venga encima.

—Serás de las que leen dos libros por día —dijo Clara con alguna burla.

—A veces sí. Con la bibliografía que hay a mano, es bueno que haya un lote de lectores voraces.

—Lo malo —dijo Clara— que el escritor cuenta con otro lector, con el que andará siempre llevándolo en el bolsillo.

—¿Para qué tiran cinco mil ejemplares, entonces? ¿Por qué escriben cinco o diez obras? Como en el *bowling*, cada libro nuevo hace saltar a los demás. —Dijo las últimas palabras sonriendo, despidiéndose boquilla en alto. Pincho la tomó del brazo y los vieron subir por la escalera lateral, Wally inclinada sobre la balaustrada y haciendo gestos en dirección a la vendedora de golosinas, que Pincho no parecía aprobar.

—Son colosales —dijo Clara—. Tan vivos.

—Tan vivos —murmuró Juan— que antes de mañana estarán en su estancia. Mirá esa gente a la izquierda, no, más allá. La mujer del pelo azulado.

—Está como disimulando algo —dijo Clara—. Un poco

como nosotros, como yo. —Apretaba el brazo de Juan, que la miraba y le sonreía.— Juan, por qué no habrá pasado ya este día. Las tres y cuarto, recién las tres y cuarto.

—Siempre es una hora antes —dijo Juan—. Y te ahorro el otro término de la frase. ¿Es solamente el examen lo que te tiene así?

Ella no le contestó, se volvieron despacio al palco donde el cronista explicaba al señor Funes la intervención a la Lotería Nacional y los efectos de la huelga de braceros en el norte. Apenas se habían sentado cuando la luz se apagó (de golpe) y un señor con traje cruzado gris perla apareció vivamente en la escena.

—El teatro se hace un deber de desmentir los rumores maliciosos que acaban de circular acerca del estado físico del artista que nos honra con su recital —dijo de un tirón. Sonaron aplausos secos—. El artista está perfectamente bien.

Alguien — uno solo — aplaudió dos, tres veces.

—Rogamos al público no prestar oídos a especies infundadas. Dentro de breves minutos dará comienzo la segunda parte del concierto. Muchas gracias.

—Jamás he podido entender por qué se dan las gracias en estas circunstancias —dijo el cronista—. Por otra parte el tipo tuvo un buen colapso.

—Te creemos —dijo Juan—. Estás obligado a saberlo. ¿Qué más sabés?

—Bah, cosas. Me voy dentro de un rato al diario. Si querés, telefoneáme a la noche y te paso los últimos chimentos. En el *foyer* vi a a Manolo Sáenz de *La Razón*, y me contó una pila de cosas sobre los hongos y la inquietud de la gente en la calle. Pero no estaba verdaderamente preocupado por eso sino porque una señora acababa de contar entretelones de la vida del artista, aparte de eso de que no es ciego y que la bisabuela era negra. Vos fijáte los rebusques de la señora en cuestión. Manolo cree que es una mitomaníaca, pero había fichado muy bien los chismes; tiene sangre de notero, mucho más que yo que nací para la contemplación y la música. En fin, tengo para aplacarle la sed al Secre, aunque no es mucho lo que le llevo.

Juan iba a hacerle una pregunta cuando estallaron los aplausos. Los dos empleados de peluca pusieron al artista en su sitio, y él decía algo al oído de uno de los empleados que parecía desconcertado, como si no comprendiese. Entonces el artista se volvió hacia el otro, con igual resultado. Mirándose entre ellos, los empleados lo soltaron de golpe y se fueron, más rápido de lo necesario. El artista titubeó, apartándose un poco, primero hacia atrás, como buscando refugio en el piano, y después caminó hacia el foso de la orquesta mientras un murmullo de prevención y espanto crecía en la platea. El señor Funes estaba de pie, moviendo los brazos y respirando fuerte; en el palco de al lado chillaba una señora, con chillidos secos y agudísimos de rata entrampada. Clara sintió como un vértigo, se tomó con las dos manos del antepecho. La gente se levantaba en todas las localidades, se encendió un juego de luces y se volvió a apagar. El artista alzó el arco como tanteando el aire delante de él, y regresó a su sitio con aire de secreta travesura. Antes de que la gente se callara, ya estaba tocando la Partita en re menor de Bach.

—En fin —murmuró el cronista—. Estuvo a veinte centímetros de convertirse en noticia.

—No seas animal —dijo Juan—. ¿Vos creés que lo hizo a propósito?

—Por supuesto. El individuo es un fronterizo. Lo estupendo es cómo lo están vigilando, fijáte a la izquierda.

El señor de traje gris perla era claramente visible detrás de uno de los empleados de peluca. Instalados contra la entornada puerta rosa viejo de la caja acústica, se hacían los indiferentes.

Allemando
Courante
Sarabande
Gigue
Chaconne

—Un poco largo —fue el epitafio del señor Funes—. Y el violín queda medio perdido cuando le falta el piano.

—Sí, claro —dijo el cronista con una voz donde temblaba

la cólera—. Es mucho mejor cuando tocan los cuarenta violines juntos en el preludio de *La Traviata*.

Clara miró a su padre, y vio que estaba encantado con el apoyo del cronista. Ella regresaba de Bach con una sensación de desplazamiento, de haber estado viajando vertiginosamente. No encontraba nada que decir, hubiera querido quedarse ahí por horas (y que no siguieran aplaudiendo, que el artista no entrara y saliera escoltado por los dos empleados de peluca). Se alegró cuando la dejaron sola en el intervalo. Metida en el secreto del antepalco, se tapó el rostro con las manos y cerró los ojos. Dormir, Bach, la hermosa zarabanda, dormir, bach, dormir —— Veía estrellas, puntos rojos; se apretó más los ojos, estremecida. El trac, el miedo. Saque bolilla. Como si eso importara, ahora. Oyó (había pasado un tiempo larguísimo en ella, tal vez había dormitado) un grito lejano, carreras. No era nada, no tenía importancia. Gritaban otra vez. Prestar oídos a especies infundadas. Muchas gracias. Dormir, sacar bolilla. Dormir.

Llevando al señor Funes entre ellos Juan y el cronista derivaban por los pasillos. Vagamente se había hablado de incursionar en un *Caballeros* (que en el Colón se llama: *Hombres*)

y Pincho con Wally estaban devorando mentas

—¡Che, el tipo se compuso!

—gritó Pincho encantado al ver a Juan—. ¡Ahora vamos en coche!

—No sé que éste tenga otra manera de andar —le dijo Juan al cronista—. Lindo mundo, donde el horror a lo imprevisto se tapa con tinta de planos. No creo que nadie les gane a los porteños en esta mascarada de montarse programas de vida.

—Sos demasiado taxativo —dijo el cronista—. En el fondo una vida no consiste en otra cosa. Planificar es irle un poco en contra al azar, acordate del chino.

—No hay azar. El azar es el rebote de nuestras debilidades, las fallas del plan de vida.

—¿Ah, sí? Entonces un terremoto que te pesca en la cama y te....

—Pero eso no es el azar —dijo Juan, sorprendido—. Eso es la poesía.

Dejaron paso al señor Funes, y entraron detrás de él a los lavabos. Había muchos hombres aliviándose, fumando y riéndose entre ellos, pero otros se lavaban las manos con gran concentración y esperaban turno para usar el peinecito de nylon sujeto con una cadena cromada a la repisa del lavabo, bajo el espejo.

—Te encantan las fórmulas —decía el cronista un poco resentido—. Si el azar se da como poético, no se sigue que sea la poesía y no el azar.

Pero Juan había reconocido en el mingitorio al lado del suyo a Luisito Steimberg, y seguía atentamente sus pareceres sobre el concierto. También vino Pincho y se puso cerca, encantado de lo bien que iba todo, y el cronista optó por irse a un mingitorio de la pared opuesta y mirar al señor Funes que esperaba en la fila del peine. Hacía cada vez más calor, pero cuando se movían las puertas —más allá, en el cubículo que pudoroso aísla los lavabos del pasillo—, entraba un aire lleno de perfume y talco caliente, perceptible aun en medio de la saturación amoniacal que —le dijo el señor Funes al señor de pelo crespo que lo seguía en la fila — era una vergüenza

como si el Colón no pudiera usar buenos desodorantes, de esos poderosos que menciona el *Reader's Digest*. El señor crespo repuso con acento alemán que era lo de siempre, lo que no satisfizo al señor Funes que estaba ya a un turno del lavabo. Entonces el cronista oyó a Juan que lo llamaba y lo presentaba a Pincho y a Steimberg, que se interesaron bastante al saber que era periodista. Querían hacerle preguntas y el cronista estaba un poco incómodo, no por las preguntas pero lo aburría preverlas y a la vez prever la mentira o la distorsión de la respuesta; ahora entraba otro grupo de gente, de los excusados salían caballeros (hombres) con la falsa naturalidad del que sale de ahí y va hacia el lavabo (con lo cual aumentaba la cola del lavabo, que cruzaba la sala de extremo a extremo y giraba sobre sí misma), y hubo un momento en que la aglomeración fue grande y se oyó a alguien decirle a otro que los que ya habían meado podrían ir saliendo, porque hay que tener ganas de quedarse estorbando.

—Siempre lo mismo —dijo sorpresivamente el señor Funes—. El gallo chicuelo quiere echarlo al grande. Apenas han entrado y ya quieren ser dueños.

—Ah —dijo el señor crespo—. Es la juventud.

—Es la mala educación —dijo el señor Funes, y se quedó solo delante del lavabo donde su predecesor acababa de enjugar cuidadosamente el peine y depositarlo en la repisa. El señor Funes dio un paso a la izquierda, para quedar frente al espejo, y alargó la mano hacia el peine. El cronista miraba justamente para ese lado (oyendo lejanamente las palmadas de los acomodadores, de manera que había que volver al palco)

y Pincho le decía a Juan que la policía estaba actuando con mentalidad de gallina, con una ineficacia monstru-o-sa,

lo que parecía complacer a Steimberg,

y el tirón de la cadenita cromada fue tan vivo e inesperado que el cronista vio solamente volar el peine como un proyectil brillante.

escapándose de la mano del señor Funes, que se quedó como fulminado, y recorriendo un breve trayecto atraído por los dedos del tipo de espaldas que había manoteado la cadena

hasta que el peine quedó en su mano y el tipo dio un paso a la derecha, estorbando visiblemente al señor Funes, sacándolo de delante del espejo,

y agachándose un poco para pasarse el peine con más comodidad

LA CADENITA NO ERA MUY LARGA

—Bueno, esto es el colmo —dijo el cronista, agarrando el brazo a Juan para que mirara.

—Esperá un poco —dijo rápidamente Juan, que había preguntado algo a Steimberg (los empleados de ministerio siempre saben cosas) y no quería perder la respuesta. Al segundo sacudón del cronista dio vuelta la cabeza y en ese mismo momento el señor Funes daba un paso adelante, rojo y engallado, haciéndole perder el equilibrio al tipo del peine, que soltó el peine y se agarró de un rubio con cigarro de hoja.

—¿Qué demonios pasa? —dijo Juan—. Vamos, don Carlos... —Lo veía mal, un poco por la interposición de la cola (que se agitaba y deshacía) y también porque Pincho y Steimberg estaban entre él y el lavabo. Quiso pasar, pero ya el cronista se le adelantaba al ver que el tipo del peine, lívido de rabia, devolvía el empellón al señor Funes plantándole una mano abierta en la pechera de la camisa y disparando el brazo como un resorte. El cronista lo tomó por detrás del saco y lo atrajo hacia él, sin saber exactamente para qué, pero el tipo se le soltó con violencia (por segunda vez agarrándose del joven rubio con cigarro de hoja) y dio media vuelta para enfrentarlo, pegando sin querer con un codo en medio de la cara de un hombre bajísimo y gordo que se tambaleó, mareado, soltando un raro chillido. Puteándolo a gritos, el cronista fue hacia el del peine, que tenía un aire entre sabedor y asombrado, y justo entonces se le cruzaron Juan (que de golpe entendía la cosa, o se metía de apurado) y Luisito Steimberg, rompiendo la cola que osciló, ya sacudida en su gregaria consecuencia, y el remolino se agrandó, quedando el pequeño señor con la cara bañada de sangre en medio de un confuso enredarse de brazos y torsos,

siendo el objetivo general llegar a las puertas de salida, y para ello pasar por la parte más estrecha que daba al cubículo de acceso a los lavabos, lo que iba contra el esfuerzo del señor Funes por llegar hasta el peine (que colgaba de la cadenita debajo del nivel del lavabo) y apoderarse de él como una especie (es de suponer) de afirmación en contra del tipo que ahora, a escasa distancia del cronista, pero todavía con Juan y Steimberg entre los dos, miraba al cronista como invitándolo a que pegara primero y diciéndole algo que las agudas imprecaciones del señor bajito ensangrentado ahogaban, aparte del estrépito general y las sacudidas de las dobles puertas ante los empujones de nuevas personas que entraban numerosas a los lavabos. Se vio al señor Funes alzar por fin el peine, y perderlo casi de inmediato porque Pincho, presumiblemente en el deseo de calmar su excitación, le tiró de la cadena arrancándoselo de la mano, y al mismo tiempo otras manos (el cronista, definitivamente separado del tipo agresor veía esas nuevas gentes que entraban en cantidad, rostros conocidos o nunca vistos apeñuscándose en la entrada, forzando el paso)

al mismo tiempo otras manos agarraban desde todas partes la cadenita, tirando con todas sus fuerzas hasta que Pincho gritó de dolor y largó el peine, que al resbalar le abrió dos dedos y lo hizo putear a gritos y plantarle (con la mano sangrante) un bofetón feroz de revés al rubio del cigarro de hoja —caído en un rincón, quemándose despacito como un ojo mirando la enloquecida rotación y movimiento de docenas de pares de zapatos—

al momento en que Juan le gritaba a su suegro que se apartara de la pelea, pero el señor Funes estaba ya con una mano agarrando la cadenita muy cerca del peine, y llegaba un primer acomodador blanco de miedo, alzando los brazos

pero el griterío era un solo clamor llevado por el hueco acústico del lavabo a todos los pisos del teatro, donde cundía la alarma

y el masajista hacía señas al ciego para que no se moviera del canapé, le echaba una manta sobre el torso desnudo y corría a la puerta para oír (y Clara escuchaba un grito desde el palco)

aunque nadie podía precisar el sitio de la reyerta, desde que el primer acomodador quedó atrapado por la gente que se metía detrás de él, al punto que las puertas ya no se podían abrir desde afuera y en el cubículo de acceso a los lavabos había una aglomeración espantosa

notándose por un raro fenómeno de acústica

con absoluta claridad los terribles golpes de angustia que los encerrados en las letrinas daban en las puertas tratando en vano de abrirlas contra el mar de espaldas y hombros que oleaba en todas direcciones y tenía a Luisito Steimberg metido como una momia en un mingitorio

encajado de espaldas en un mingitorio como jamás se ha visto a nadie, maldiciendo en iddish que de golpe le venía a la boca como clavos calientes, pero sin poder salir aunque el cronista (que se preguntó qué diablos, pero no, era un error) trataba de alcanzarle una mano por sobre el señor bajito y sangrante, para extraerlo del hueco

y pensando a la vez si había visto bien entre los que habían entrado últimos, preguntándose   aunque en el fondo nada tendría de raro, el mundo es pequeño y si al tipo le gustaba el violín

sin duda él estaba equivocado

ahí iba el señor Funes rechazado por otros, en el aire un trozo de cadena, Pincho chupándose una mano, palidísimo

hombros tapando, Juan como un trompo repartiendo empujones para llegar hasta su suegro, el peine en manos de un morocho pesado, que lo sostenía en alto gritando: "¡Afloje, afloje!" como si en realidad el peine lo tuviera otro, una puerta de letrina abriéndose centímetro a centímetro, del lado donde Luisito Steimberg acababa de desprenderse del mingitorio y se alisaba estúpidamente el saco en las caderas,

abriéndose poco a poco y una cabeza rapada, unos anteojos, verdaderamente una tortuga que sale a ver qué pasa

al revés de las buenas tortugas

con grandes golpes en las otras puertas y una última, feroz

sacudida general que hizo volar el peine por el aire hasta caer en el lavabo dentro del agua

y allí ya nadie metió la mano había algunos pelos en esa agua   aparte de que se hacía la calma, empezando por el tipo agresor que estaba cerca de la salida del cubículo, con los brazos caídos y mirando al vigilante que entraba como un proyectil, rompiendo la coraza del cubículo, terrible, respetable, el fin del asunto.

El cronista (ahora estaba seguro de lo que había imaginado, viendo en el fondo, más allá de la comunicación con el cubículo, algunos que se escapaban)

el cronista suspiró como si saliera de una anestesia. "Es insensato", pensó. Y después: "Por eso sucede".

—Ya verás —le decía Pincho a Juan, que le arreglaba la ropa al señor Funes—. Ahora el artista se va a enojar con este lío. Te juego plata a que no toca la tercera parte y nos friega la matinée.

Juan se reía, alisándole el saco a don Carlos, poniéndole en su sitio las hombreras. Sacó un peine del bolsillo y se lo prestó, era difícil accionar los brazos.

El cronista oyó la orden del vigilante y le mostró su credencial de periodista. Por un segundo le pareció que el vigilante lo iba a pasar con los demás.

—¿No se acuerda de mí? —le dijo—. El otro día el caso del chico de la calle Peña.

—Ah, sí, señor. Está bien.

—Yo le aviso a Clara —le dijo el cronista a Juan—. ¿A dónde los lleva, agente?

—A la sala de periodistas. Después se verá.

—Bah, no ha sido nada. No hay que sembrar la alarma. Hasta luego.

"Cómo se manda mudar", pensó Juan, divertido a más no poder pero con un golpe en las costillas que todavía no lo dejaba respirar. "Bueno, esto me liquida el examen." Guardó con cuidado el peine que le devolvía don Carlos, y echaron a andar entre una doble fila de espectadores que colmaban el pasillo. Ya apagaban las luces en la sala. Wally los miraba con una cara en donde la boca parecía el borde de un silbido.

—Fue increíble —dijo el cronista—. Inútil que intente imaginárselo, Clarita. Fue la apoteosis, el final del cariyú, lo apocalíptico, el quilombo universal.

—¿Pero están bien? —preguntó Clara que se asombraba de su tranquilidad.

—Juan lastimó a varios, y su papá luchó como un león —dijo el cronista con una reverencia—. Todo va bien, aparte de que los han encanastado.

—Bueno, esto nos remata el día —dijo Clara, sin afligirse demasiado.

—¿Usted cree? Hay demasiado jaleo afuera para que se ocupen de esto. Lo atribuirán a la nerviosidad general y en media hora

Pero me pregunto para qué apagan las luces si no hay concierto.

Y además —dijo el cronista, acordándose—, pasó una cosa muy rara. Vi a un conocido de ustedes. Ese que los andaba siguiendo anoche.

Hubo una junta presurosa en la Dirección. El señor de traje gris cruzado trajo el informe final:

—Se niega a tocar. Me ha insultado groseramente, y después la empezó con lo del arte y el respeto y todas las jodas del caso.

—No se le puede obligar —dijo el señor Director.

—Sí, che, pero ahora me va a tocar a mí salir de nuevo a hacer el pavo ante el público.

—Vos lo hacés mejor que nadie —dijo el señor Director—. Quiero decir hablarle a esos hijos de puta.

—¿Abel?

—Así creo que lo llaman ustedes.

—Pero usted no lo conoce —dijo Clara, mirándolo sorprendida.

—Señora —dijo el cronista—, yo soy notero, ergo uso los ojos, ergo anoche no necesité mucho para filiar a ese mozo que los tenía sobre ascuas. En los ligustros de la Plaza Colón.

—¿Y ahora estaba en la pelea?

—Como estar, no. Balconéo el final. Creo que el vigilante

no le dio tiempo de mojar un poquito. Bueno, ya empezamos —

El señor de gris hizo señas para que los de la platea acabaran de ocupar sus sitios. Se hablaba fuerte en todas partes, y el aire estaba irrespirable.

—Señoras y señores —dijo el señor—. Lamentamos mucho informar a ustedes que la última parte de este concierto no tendrá lugar. Una ligera indisposición de nuestro gran artista

QUE LLORABA, BOCA ABAJO EN EL
CANAPE

nos priva del encanto de su arte. Deseo además tranquilizar a las señoras a quienes un incidente sin importancia ha podido preocupar hace unos minutos. Nada ha sucedido de grave.

GEMIA CON LA CARA ENTRE LAS
MANOS
Y EL MASAJISTA CONTEMPLANDO-
LO

al punto que las salidas del teatro están ya
expeditas.

—¿Abelito? —repitió Clara—. Entonces es de veras.

—¿Qué?

—Que está loco. —Miró involuntariamente hacia la penumbra del antepalco.— Es de no creerlo. ¿Dónde quedó Juan, por favor?

—En la sala de periodistas, con los otros.

—Vamos.

—Sí, pero no nos apuremos. Deje que salgan todos estos, vea cómo están de furiosos.

Habían despedido al señor de gris con tres aplausos y un terrible silbido desde el paraíso, y en la platea se movía la gente desganada, muerta de calor, hablándose a gritos de fila a fila. Entonces Abel —pero el absurdo tiene grados, quién acepta el *voodoo* en Diagonal y Florida. El palco, ese torreón del que había que salir (y el cronista, lleno de buena voluntad, esperaba con la espalda hacia el antepalco, Lanzarote Galahad Geraint

Y EL CUMPLIMIENTO DE LAS OSCURAS PREDICCIONES

"No es cierto", pensó Clara, mirándose con desprecio (un ojo, la nariz, media boca, el otro ojo los espejitos esa réplica del alma, ese parcelamiento continuo

que tu mano izquierda no sepa lo que

pero sí, pero si nunca lo sabe Qué sabe mi lengua de cómo vive mi pie) "Qué horror", y ya no había siquiera pensamiento

puro, sin palabras para reflejar ese disgusto central ante las fugas de las radios, esa evasión de sí misma que su centro debía impedir, ordenar, distribuir. Ahora que Juan era otra región de su piel,

encontrarlo y

pero dónde lo tendrían. "Yo le pedí que viniera", y sentir la necesidad de Andrés (porque dónde lo tendrían a Juan)

pobre cronista, pobre Kurwenal

"Le pedía que viniera, y no quiso. Irá —"

con una última mirada (sin ver) a la escena, donde uno de los empleados con peluca cerraba cuidadosamente la tapa del piano.

Había un inspector de civil, el vigilante que los arrestó, y dos vigilantes más. Afuera se oía el murmullo de los que se marchaban del teatro sin haberse enterado de gran cosa. Pero un grupo de parientes y amigos se amontonaba en la puerta, esperando.

—Pónganse en fila —dijo el inspector.

Estaba de pie detrás de una mesa, con su baluarte ya construido, firme y seguro detrás de su mesa

—Me hacen el favor de no hablar todos a la vez —dijo—. ¿Quién empezó la pelea?

El señor Funes dio un paso adelante, pero un vigilante le puso la mano en el hombro.

—Déjeme —balbuceó el señor Funes, que se tambaleaba un poco—. He sido yo, señor, en defensa de mis derechos.

—¿Ah, sí? —dijo el inspector, como distraído.

—El señor es mi suegro —dijo Juan, adelantándose—, y ya puede usted ver que no está en condiciones psi-co-ló-gi-cas de explicar nada.

—Vuelva a la fila —dijo el inspector.

—De acuerdo, pero déjeme a mí explicarle.

—Bueno, hable.

Juan se dio cuenta de que no sabía nada de lo ocurrido. Vagamente, ubicaba el peine como presa de guerra, y más tarde, extraña sublimación, como bandera de combate. Sonrió sin querer, y el inspector lo miraba entornando los ojos.

—Yo sé lo que pasó —dijo Luisito Steimberg—. Este señor del jopo le quitó el peine al señor suegro de este señor.

—¿Usted lo vio?

—Como verlo no, porque en ese momento...

—Es exacto —dijo el señor Funes—. A mí me tocaba peinarme en ese momento.

—Quién sabe —dijo el del jopo, que parecía amargado—. Yo vi el peine en la repisa y lo agarré.

—Mentira —dijo el señor Funes, tratando de salirse de la fila—. Usted no estaba en la cola, y no agarró el peine sino la cadenita.

—Es lo mismo —dijo el del jopo—. Si usted está más cerca de la cadenita, con un tirón atrae el peine.

—Pero el peine me tocaba a mí. Y además ya lo tenía en la mano. Acababa de agarrarlo cuando usted tiró de la cadenita y me lo arrebató.

—Con grave riesgo para las manos del señor —dijo Pincho López Morales—. Vea estos dedos; me los cortó el peine cuando no sé qué gran cabrón me lo arrancó a tirones.

—Atempere su lenguaje —dijo el inspector—, y no hable

hasta que le pregunten, lo mismo que usted, y usted.

—Hacen escombro por nada —decía el del jopo, poco tranquilo.

—Cállese. ¿De manera que se lo manotearon?

—Exactamente —dijo el señor Funes, más tranquilo—. Y además me dio un empellón, sí señor UN EMPELLON.

que casi me tira de espaldas contra otros señores.

—Macana —dijo el del jopo—. Viera el empujón que me encajó a mí.

—¿Y qué quería? —gritó el señor Funes—. ¿Que le diera las gracias?

—¡Cállense! —gritó el inspector—. ¿Qué pasó después?

—Vea, después la cosa fue confusa —le dijo Pincho—. Me atrevería a describirla como la tendencia de veinte personas a liquidar a diecinueve y quedarse dueñas del peine. Sociológicamente... —Y se echó a reír, mirando a Juan que estaba igualmente tentado. "Qué gran loco", pensó Juan. "Ya armó su programa para toda la tarde."

—A usted —dijo el inspector, avanzando un dedo telescópico— le va a ir mal si se hace el vivo. A ver usted —y apuntó a un mocito de cara asustada que no había dicho nada—. ¿Qué hubo después?

—Un gran revuelo —dijo el interrogado—. Me empujaban de un lado a otro.

—Y usted, claro, como un santo, sin mover un dedo.

—Al principio sí —dijo sorpresivamente el interrogado—. Después hice lo que pude para quedarme con el peine.

—También usted.

—Bueno, el peine iba de mano en mano.

—Como la falsa moneda —murmuró Pincho.

—¿Y cuándo acabaron de pelearse?

—Cuando entré yo, señor —dijo fieramente el vigilante—. Ahí nomás me los traje para este lado.

El inspector miraba al del jopo. Se pasó un pañuelo sucio por la cara. Afuera hubo una pitada de alerta, y la puerta se fue abriendo unos pocos centímetros. Quedó así, como esperando el paso de alguien.

—Vayan sacando los documentos —dijo el inspector mirando el pañuelo, volviendo a pasárselo por la cara. Oyó sin decir nada los murmullos, los pero yo no traje nada, a quién se le ocurre que va a ir a un concierto con la libreta de enrolamiento, puede telefonear a mi casa, es un abuso yo no tengo nada que ver con esto
y afuera está mi esposa esperando
—Cállense —dijo el inspector, pegando con la mano en la mesa—. Vayan dando sus nombres. —Se sentó, con una libreta azul en la mano. El teléfono empezó a llamar acremente, y un vigilante miró al inspector como esperando que lo mandara a atender. Por la puerta entornada venían las conversaciones de los de afuera, el grito agudo de un diariero, otra pitada.
—Atendé vos, Campos —dijo el inspector al vigilante que había hecho el arresto—. ¿Por qué está abierta esa puerta?
—Viene un oficial del Departamento, señor —dijo el vigilante parado junto a la puerta—. Ya iba a entrar pero se quedó con...
—A ver usted —dijo el inspector al señor Funes—. Documentos.
—No tengo —dijo el señor Funes, que jadeaba un poco y tenía empapado el cuello de la camisa—. Si le sirve mi carnet de la Caja de Jubilaciones.
—Ma sí, ma sí —decía el vigilante del teléfono—. Llame después, ahora no hay nadie.
El inspector miró el carnet, al señor Funes, el carnet.
—Estoy a sus órdenes para cualquier cosa —dijo el señor Funes—. He procedido como era mi obligación ante un atropello incalificable. Me pongo a disposición de la justicia.
—Ya lo creo que se pone a disposición —dijo el inspector—. Y cállese.
Juan esquivó al vigilante y sólo la mesa lo separaba del inspector.
—Cállese usted —le dijo—. No tiene derecho a tratar así a este señor.
—Vení acá —decía Pincho a su espalda—. No armés lío.

El inspector se había levantado. El vigilante del teléfono estuvo instantáneamente al lado de Juan, con la mano en la pistolera. Por la puerta entornada entró un oficial enormemente gordo y mulato. Después de él los ruidos. "¡Acabenlá!", gritó una voz aguda, pero la puerta se cerró mochando la palabra.

—Esperá un minuto —dijo el inspector en voz baja, clavados los ojos en Juan que sentía frío en el bajo vientre. Se apartó de la mesa para hablar con el oficial que lo esperaba cerca de la puerta.

—Ya sé lo que ocurre —dijo el oficial—. Vuélvase en seguida a Moreno. La cosa está seria.

—Pero esta gente...

—A sus casas, ahora mismo. Aquí no ha pasado nada. Despáchelos.

—Mire que...

—Es orden de arriba, che.

Pincho salió el primero, saludando cortésmente. Juan recogió el carnet de Don Carlos, que éste se dejaba sobre la mesa; salió con él y Steimberg. El inspector les daba la espalda, y un vigilante tenía la puerta abierta como peón de brete.

—Por fin —dijo Clara, tratando de sonreír—. ¿Los torturaron?

—Sí, con luces de bengala. Vení, vámonos pronto.

—Qué calor —dijo Pincho, suspirando—. Che, y esta gente amontonada, ni que fuéramos los de Nüremberg. Permiso, señora, permiso.

Cuando vio la luz de la calle, parpadeó confundido.

—Me olvidé que era tan temprano —se quejó—. Wally, imagen de la fidelidad, vámonos a alguna parte fría y oscura.

Steimberg, callado y como temeroso, se fue tras ellos sin despedirse. Juan y el cronista escoltaban al señor Funes y a Clara. Por casualidad había un taxi libre en la esquina de Tucumán y Libertad. Juan miró su reloj.

—Vuélvase usted, don Carlos, y descanse un poco. Clara y yo nos vamos yendo al centro.

—Tienen tiempo —dijo el señor Funes—. Vengan a tomar el chocolate.

—No, no —dijo Clara—. Andá vos, papá, y dormí un poco, tomá bromuro. Mañana...

Pasaba una bomba de incendios que tapó su voz. Juan olía el aire, sorprendido; vio a Luisito Steimberg parado en el refugio de Libertad, esperando un tranvía. No pasaban tranvías, apenas pocos autos.

—Bueno —dijo el señor Funes—. Entonces que les vaya muy bien a los dos.

—Gracias, papá.

—Gracias, don Carlos.

—¿Lo puedo arrimar? —preguntó el señor Funes al cronista.

—No, gracias. Iré caminando un poco con estos chicos.

Un auto policial tocó la sirena, dio vuelta en Tucumán. Creían que iba a pararse en el Colón, pero corrió Libertad arriba. Vieron partir en taxi al señor Funes que agitaba la mano.

—Pobre viejo —dijo Juan—. Cómo me lo han tenido. Vamos a tomar cerveza, me ahogo. Está muy bien que vengas con nosotros, cronista. Te voy a contar lo del interrogatorio, que fue grande.

—No es noticia —dijo el cronista, escupiendo una pelusa—. Pero lo de la cerveza sí.

No había cerveza en el *Edelweiss*, donde un mozo de pelo blanco pretendió convencerlos de que tomaran sidra. No quisieron protestar porque era sabido que faltaba cerveza en la capital desde días atrás. Se fueron al *Nobel*, y Juan se lavó un poco de sangre fresca que tenía en la mano izquierda. Al lavarse supo que era sangre ajena.

—Me gustaría escuchar las *Kinderszenen* —le decía Clara al cronista—. Yo era chica y un amigo de la casa las tocaba, de noche, en nuestra sala oscura.

—En la sala, claro.

—Por supuesto. Me crié en una casa con sala, y se hizo

todo lo posible para que mi inteligencia amueblara también su sala en mi cabeza. No se ría, mi tío Roque tiene una salita cultural perfecta. Con anécdotas del general Mansilla, admiración por los almanaques, y vagos jabones de olor. Me encanta sentarme en ella y respirar su polvito tan fino.

—A veces te quedás demasiado —dijo Juan, tirándose en la silla—. No creas que el departamento actual no tiene sala. Ha pasado a lo invisible pero su amenaza está ahí, en todo lo que es rosa viejo, radiotelefonía, prospectos de remedios.

—La gran aldea —dijo el cronista como si dijera: "La gran flauta"—. De todos modos creo que tu sala invisible está bastante empobrecida de consolas, macramés y arpas enfundadas.

—No hay que ser demasiado cruel con las salas —dijo Clara—. Eran lo menos fisiológico del gineceo, el único sitio adonde no entraban las pailas de dulce, la siesta sucia, la procreación quieras que no.

—Hace calor —dijo Juan, bebiendo su chop—. Está cada vez más pesado, siento una cosa aquí...— Por las ventanas abiertas entraban los pregones del negrito vendiendo los boletines. La voz subía sola en una calle casi vacía, con gente que se apresuraba. Muy lejos (y Clara se acordó de Leandro Alem, por la noche) vino una sirena de ambulancia.

—El segundo boletín de *Crítica* —dijo el cronista—. Las cuatro y media. Puntuales como escoceses. Qué diario, viejo. Y yo que debería estar en la redacción del mío.

—Te tomás el subte con nosotros y llegás en diez minutos.

—Claro. Che, fue todo un concierto.

—Pobre papá —dijo Clara—. Una vez que se le ocurre oír música.

—Bueno, no te creas que no se divirtió —dijo Juan—. Cuando haya descansado, se sentirá muy orgulloso. Vos lo vieras como repartía patadas y empujones. Yo creo que éste fue su gran día, su recuerdo de áncora con quince rubíes legítimos.

—No seas malo.

—Pero si está bien —lo defendió el cronista—. Será un lindo recuerdo, su batalla de Hernani. Cada día hacen más falta los recuerdos. ¿Usted se ha fijado cómo la gente olvida?

—Tiene un tizne en la nariz —dijo Clara—. Y no creo que olvidemos más que antes. Lo que hay es que antes se vivía con el buen escapismo del todo tiempo pasado, etc. O al revés, la religión del porvenir y el resto. Ahora... pues es esto: ahora. *No place for memories.*

—Pero usted sabe que el ahora no existe realmente —dijo el cronista.

—¿No?

—Lo que quiere decir el cronista es que lo importante es lo que da sentido al ahora, o sea el antes o el después.

—No he querido decir eso en absoluto —protestó el cronista—, pero encaja bastante bien con la idea general. La gente recuerda menos ahora porque, en cierto sentido, todo recuerdo es una acusación.

—Qué razón tenés —dijo Juan—. Esto que flota en el aire actual, esta conciencia de que somos culpables de algo, de que estamos acusados...

("Y a veces hasta se corporiza, William Wilson, *je suis hanté, hanté, hanté, hanté, hanté!* Y el pobre Josef K... Y nosotros mismos, sin ir más lejos ——")

—¿Pero qué derecho tendría el pasado para acusarnos? —dijo Clara, corriendo minuciosamente la ranura de su *rouge.*

—Ninguno —dijo Juan—. No es él quien nos acusa, sino nosotros mismos. Sólo que las piezas del proceso vienen del pasado. Lo que hicimos. Y lo que no hicimos, que es todavía peor. Este desajuste insalvable.

—Mirá, es un asunto del que se habla demasiado y se comprende poco —dijo el cronista—. Se habla de que estamos malográndonos por falta de estilo, porque nos hemos salido del friso y de la regla áurea. ¿Viene de ahí nuestra neurosis?

—Viene de algo mucho peor —dijo Juan, secándose las manos con una servilleta de papel que quedó como una bolita sucia al borde de un plato—. Si por lo menos hubiésemos perdido eso que llamás estilo. Pero no, estamos como los resucitados del Juicio Final en la piedra de Bourges, ¿te acordás de la foto, Clarucha?, con un pie fuera y el otro en el ataúd, esforzándose por salir pero atrapados todavía por la costumbre de la muerte. Entre dos aguas, como el señor Valdemar; y sufriremos el oprobio mientras este vivir transitorio dure.

—Vas bien —dijo Clara, suspirando— pero sos tan confuso.

—Confuso es esto que quiero decir. Convencéte, cronista. El horror de la existencia lo vio Rimbaud mejor que nadie: "Moi, es clave de mon baptême". Te criás en la estructura cristiana, reducida no más que a un cascarón de tortuga donde te vas estirando y ubicando hasta llenarlo. Pero si sos un conejo y no una tortuga, es evidente que estarás incómodo. Las tortugas, como el gran Dios Pan, han muerto, y la sociedad es una ciega nodriza que insiste en meter conejos en el corsé de las tortugas.

—Buen símil —dijo Clara con la boca llena de imperial ruso.

—Te criás fajado por las grandes ideas fijas, pero un día hacés tu primer descubrimiento personal, y es que esas ideas no parecen ser muy aplicadas en la práctica; y como no sos sonso y te gusta vivir, ocurre que deseás la libertad de acción. Zas, ya te topaste con las ideas, con tu bautismo. No en forma de decretos exteriores

fijáte que esto es importante. No en forma de compulsiones prácticas, que son las que desesperan a los rebeldes de pacotilla,

pues aunque estén en esa forma —como que lo están— siempre se las puede burlar más o menos,

sino que te las encontrás *en vos mismo*: tu bautismo, viejo.

—Las furias de Orestes —dijo Clara.

—Sos cristiano —dijo Juan—. Sos el occidente cristiano

desde la manera de cortarte las uñas hasta la forma de tus banderas de guerra —

Atrapado, empieza el jadeo. Imagináte un águila educada entre ovejas, y que un día siente la presencia y la necesidad de sus fuerzas de águila,

o al vesre (porque no se debe ser soberbio),

imaginátelo, y ahí tenés la cosa.

—Está bien —dijo el cronista—. Lo malo es que no tiene arreglo.

—Eso es lo de menos —dijo Clara—. Lo que importa es que sea así, indubitablemente así, limpiamente así. Lo que no es seguro.

—Me parece que sí —dijo Juan—. Por lo menos mi persona me induce a creerlo. Cada gesto auténtico se ve frenado, desanimado por un conformismo de mi naturaleza. A cada minuto, cuando decido: "Mañana —", surge mi rebelión. ¿Qué es mañana? ¿Y por qué mañana? Entonces el reloj suizo echa a andar, aceitado y perfecto, y el cucú que tengo aquí en la cabeza me canta: "Mañana es un nuevo día, amanecerá nublado con temperatura en sostenido ascenso, el sol sale a las seis veintidós, día de Santa Cecilia. Te levantarás a las ocho, te lavarás —"

Fijáte que eso solo: te levantarás,

te lavarás,

eso solo es tu bautismo, los grilletes, la estructura occidental.

—¿Y te sentís tan mal por eso? —dijo el cronista—. La técnica está en levantarse a las once y frotarte la cara con alcohol.

—Eso es idiota y no engaña a nadie. Mirá, si se nació oveja hay que vivir oveja, y el águila precisa sitio para decolar a fondo. Yo podré tener la forma de la lata en que me han envasado desde que Jesús se convirtió en el tercer ojo de los occidentales; pero una cosa es la lata y otra la sardina. Creo saber cuál es mi lata; ya es bastante para distinguirme de ella.

—De distinguirla a escaparse...

—No sé si es posible escaparme —dijo Juan—. Pero sé que

mi deber para conmigo es hacerlo. Aquí los resultados cuentan menos que las acciones.

—Tu deber para contigo —murmuró Clara—. ¿Sólo con vos mismo para realizarte?

—Sólo cuento conmigo, y aun así en pequeña parte —dijo Juan—. De mí tengo que descontar al enemigo, a ese que fue criado para que matara mi parte libre. A ese que debía ser bueno, querer mucho a su papito, y no treparse en las sillas o en los zapatos de las visitas. Cuento con tan poco de mí mismo; pero ese poco vela, está atento. Baudelaire tenía razón, cronista: es Caín, el rebelde, el libre, quien debe cuidarse del blandísimo, del viscoso y bien educado Abel ——

Miró fijamente a Clara.

—A propósito —dijo Clara—. Pero seguí, no te interrumpo.

("No es viscoso", pensó con una ternura absurda.)

—Ya está todo dicho —dijo Juan—. Me alegro de no tener un Dios. A mí nadie me va a perdonar; y nada puedo hacer para que el perdón me sea otorgado. Corro sin ventaja, sin el gran recurso del arrepentimiento. De nada me valdría arrepentirme, porque en mí mismo *no hay perdón*. Es posible que tampoco haya arrepentimiento; pero entonces el destino es absolutamente mío: yo sé, al faltar a mi tabla de valores, que lo hago; y sé y supongo por qué lo hago; y mi hecho es *irremisible*. Si me arrepintiera, sería inútil lo mismo; caería en la autocompasión o la casuística; antes me muera cien veces.

—Eso se llama orgullo —dijo el cronista, sumando los *tickets*.

—No, eso se llama ser uno mismo, andar solo y tenerse fe. Porque creo que sólo el que no va a patinar es capaz de prever con tanta claridad su riesgo; y viceversa.

—Pequeño Orestes sartriano —se burló el cronista, con cariño.

—Gracias —dijo Juan—. *Muito obrigado.*

En la esquina de Talcahuano tuvieron que hacer un rodeo y obedecer las confusas órdenes de un capataz municipal que dirigía las maniobras para desviar el tráfico. Algunos barriles, farolas y banderas coloradas le daban a la calle un aire de barricada, complicado por un Chevrolet distraído que acababa de cruzar la línea prohibida y estaba con una rueda delantera dentro del hundimiento y ese aire grotesco de toda máquina arrancada a sus normas. El diálogo entre el chofer y el capataz era de una violencia tal que —según dijo el cronista— parecía muy difícil que se agarraran a patadas. Cosa curiosa, poca gente rodeaba a los agonistas, el espectáculo se perdía en la neblina, baja y maloliente en ese tramo de la ciudad.

—Bueno, podemos subir por Talcahuano hasta Lavalle, y damos la vuelta hasta el subte —dijo el cronista. Caminó adelante, para dejar solos a Juan y Clara que iban del brazo muy callados.

En la esquina de los Tribunales había una autobomba con toda su dotación, y mucha agua del lado de las escalinatas del palacio sobre la plaza. El cronista le iba a preguntar a un bombero, cuando un "¡Circulen!" padre lo puso otra vez en movimiento. Dos autos con chapa oficial esperaban en la entrada de Lavalle con las puertas abiertas; como un río de hormigas subían y bajaban empleados con pilas de expedientes y carpetas; uno de los autos estaba ya casi lleno. "¿Con la música a otra parte?", pensó el cronista.

—No sé si lo hiciste a propósito —dijo bruscamente Clara—. Cuando lo nombraste me estabas mirando.

—Me di cuenta al nombrarlo —dijo Juan—. Reparé en la coincidencia, y era natural que te mirara, por si vos también habías caído.

—Sí, cómo no caer —dijo Clara—. El cronista me dijo que lo había visto en la pelea.

—¡No! —dijo Juan, parándose.

—Al final, entre los mirones que se colaron últimos. Por eso pudo irse antes de que los pescaran a ustedes.

—Tiene que estar confundido —dijo Juan con algún desgano—. Claro que lo mismo da.

—Sí, pero ya es un poco fuerte —dijo Clara—. Es desagradable tener que andar mirando atrás. En el palco tuve miedo. Ahora estoy con vos, pero puedo volver a tener miedo y no me va a gustar.

—Che, miren eso —les gritó el cronista desde la esquina de Uruguay. Señalaba un enorme carro tumbado, docenas de cajas de huevos desparramados en la dirección de la caída.

—Con lo caros que están —dijo Clara—. Perdonen el reflejo.

Juan callaba, mirando los huevos, la calle, respirando la niebla que de pronto los obligaba a escupir algo como pelusas. En la Martona de la esquina había un negro enorme, plantado en la puerta de Uruguay. Clara se quedó helada porque el negro silbaba uno tras otro los temas de *Petrushka*, los enrollaba en su claro silbido y los iba soltando a la niebla

"Como burbujas con humo", pensó Clara, enternecida. Iba a decírselo a Juan pero él seguía andando con los ojos bajos

"como si patinara con los ojos", pensó Clara, contentísima del doblete. Un contento amargo, realmente del cuello para arriba. Por el brazo llegaba mejor a Juan, se prendía en él y lo acercaba a su propia respiración tranquila. "Ya falta tan poco", sin querer mirar el reloj. "Más de las cuatro." Pensó en Andrés, que estará allá callado y amistoso, con un volumen bajo el brazo (siempre el menos esperado, De Quincey, Sidney Keyes, Roberto Arlt o Dickson Carr,

o *Adán Buenosayres* que le gustaba tanto, o Tristan l'Hermite, o Colette —— y tan del otro lado, a veces, tan pasado a la orilla de sus autores. Andrés lejano, saludo de tormenta, imagen cineraria, de pronto ráfaga brutal, el incendio de una cólera, una denuncia,

y cómo se podía andar de bien por las calles cuando estaba ahí, un poco adelante, o quedándose en un zaguán para estudiar un aldabón o un eco de sus propios pasos ——). Como Juan, que

Sí, como un Juan sin versos, planta verde sin frutos, casi sin flores. "Andrés", pensó, apretando los labios contra la niebla. "Cómo te dejé caer."

—Che, hay un cartel que no me gusta ni medio —dijo el cronista, empezando a cruzar Uruguay—. A ver si nos quedamos sin subte.

El cartel estaba manuscrito (tinta verde) y pegado a una tabla sujeta con alambre a las rejas de la entrada sobre la vereda de Corrientes.

La empresa no se responsabila por la regularidad de los convoyes.

—¿Qué empresa? —dijo Juan, furioso—. ¿No son del Estado estas porquerías?

—Esto lo ha escrito un pinche cualquiera.

—Y con un apuro loco —dijo el cronista—. Tinta verde; qué asco.

—Bueno, vamos —dijo Clara—. Alguno nos llevará al centro. Aunque no se responsabilen.

Patinando en la resbaladiza escalera llegaron al largo túnel que conducía al primer subsuelo. Muchísima gente se amontonaba en el bar, y en el aire denso y sucio salía ganando un olor a salchichas calientes. La niebla no llegaba abajo pero la humedad se condensaba en las paredes, el piso abundaba en charcos y enormes amontonamientos de basura.

—Hace días que aquí no se limpia —dijo el cronista—. Me taparía las narices con el gesto clásico

si ello no me obligara a abrir la boca, lo que es mucho peor. Siempre he creído que el olor es nada más que un sabor deficiente; si se huele por la boca, puede llegarse a sentir el gusto del olor, y vos comprendés que esta jalea —

—Sos demasiado delicado —dijo Juan—. Se ve que no hiciste la conscripción.

—No la hice —dijo el cronista— pero voy mucho al fútbol. Che, han cerrado los otros quioscos. Esto sí es noticia; cuando se cierran los quioscos es que la gente pasa de largo, o no pasa.

—¿Te parece? Mirá esa barra cómo lastra.

—Bueno, es inevitable. Yo tengo probado que los gallegos respiran por el idioma
y que si no hablan se mueren de asfixia por silencio.
En cambio los porteños respiran por el estómago. Cómo comen, mama mía. Los *baby beef*, ¿vos has visto algo parecido?

—Maquinitas de hacer caca. ¿Quién nos definió así?

—Alguien que pasaba delante de ese bar. Che, un momento, retiro todo lo dicho: esa gente no está comiendo.

Miraron, desde lejos, cómo dos muchachas ayudaban a levantarse a una mujer que había resbalado. El cronista tenía razón. La gente del bar hacía paquetes, cumplía un tráfico oscuro con el gordo vendedor de guardapolvo roñoso.

—Están comprando las existencias —dijo Clara y tuvo miedo
y sintió que la mano de Juan se apretaba en su brazo.

—Qué hijos de una gran puta —dijo el cronista—. ¿Dónde hay un teléfono? Esto es el comienzo del mercado negro.

—Bah, en su diario ya lo sabrán —dijo Clara con amargura—. Su Dire tendrá el *garage* lleno de bolsas de azúcar y papas.

—Que se le pudran —dijo el cronista—. ¿Moneditas, Juan querido?

—Aquí hay dos.

En la boca de la escalera se amontonaban diarios arrugados, un palo de escoba y una tapa de la revista *Cuéntame*. Oyeron un ladrido que subía desde el túnel. Clara se tomó del pasamanos pero lo soltó con asco; rezumaba, estaba como vivo.

—Tomá, secáte. —Juan le dio su pañuelo y la sostuvo del brazo.— Me hiciste acordar a una noche en que entré a mi pieza a oscuras y alcé de la mesa un álbum con la Séptima Sinfonía, subtitulada la apoteosis de la danza. Al agarrarlo en plena oscuridad, siento que se me mueve en la mano. Ya te imaginarás la reacción; la séptima voló a la otra punta del cuarto y yo manoteando como loco la llave de la luz. Cuando me vi la mano todavía tenía pegadas las patas del ciempiés, que se movían. El desagradable artrópodo había estado en el filo del lomo, y era enorme.

—Espero —dijo Clara— que la séptima se te haya hecho cisco.

—No, che. Esas cosas aguantan.

—¿Vos oís ladrar? —dijo el cronista.

"Pensar que me emocionaba con César Franck", pensó Juan. "Que me gustaba el praliné..." Clara pensaba ladrido   Beethoven   la casa de Castelar, "Turco", Mozart, marcha turca, los cornos de la Quinta

todo eso tenía un sentido   LADRABAN
incomprensible
hondo (aljibe a la luz de la luna, los sapos)
el carbunclo, palabras hermosas como carbunclo y gema,
un alcance, y era, sí,
visión   quién podía decir de qué   LADRABAN
para qué
visión, alcance en la noche, del
latido sin palabras   la fuente
el vivir desnudo   *Así ladra el destino a la puerta*
vivir, como un
caer inmóvil por la música en la rueda
vertiginosa,
con nombres: fervor, hermoso, quédate, mañana,
morirse, sacrificio, gema, Sandokan

—Tengan cuidado —dijo un guarda. Se dieron con él al pie de la escalera, parecía montar guardia en el codo de salida al andén—. No sería raro que estea rabioso.

—Joder —dijo el cronista—. ¿Ese perro que ladra?

—Sí. Vienen del túnel, éste es el quinto de hoy.

—Pero si ladra no está rabioso —dijo Juan que se tenía leídas sus vidas noveladas de Pasteur—. El perro hidrófobo es un ser mortecino y de ojos sanguinolentos, que muerde por no llorar.

—Usté haga chiste, pero si le cacha una pata...

—¿El quinto de hoy? —dijo Clara—. ¿Y de dónde vienen?

—No sé, está pasando desde hace unos días. Véalo, ahí anda.

Instintivamente retrocedieron. El perro venía por el andén, flaco y peludo, la cabeza muy gacha; le colgaba una lengua como de trapo. Los pocos pasajeros estaban más allá de la salida de la escalera, y algunos gritaron para llamar la atención del guarda, que agitó un escobillón con rápidos movimientos horizontales. El perro se paró a dos metros del escobillón, gimió y se puso a jadear. Podía muy bien estar rabioso. Desde el fondo del túnel, apagado, vino otro ladrido.

—¿Cómo han podido entrar? —dijo Clara, apretada contra Juan.

—Estos pasan por todas partes —dijo el guarda, atento al perro—. Ya telefonié diez veces a central para que manden un cana que los balee, pero aquéllos están dormidos. Y después el lío del tráfico, chocó un tren en Agüero, qué vida.

—Han de huir del calor —murmuró Juan—. La niebla, tal vez. Bajan a la oscuridad. ¿Pero por qué ladran, por qué andan así afligidos?

—Pobre perrito —dijo Clara, viendo cómo el bicho se tendía al borde del andén, siempre jadeando, y mirando a uno y otro lado temblando un poco.

—Qué va a estar rabioso —dijo el cronista—. Tiene sed y miedo. Che, mirá allá al fondo, bien al fondo.

En el túnel había dos ojos, casi pegados al suelo, mirándolos. Estuvieron así un segundo, y se vio el bulto blanco de un perro que retrocedía. Empezó a oírse el zumbido del tren viniendo del oeste.

—Pero lo va a hacer pedazos —dijo Clara—. ¿Cómo puede escaparse del tren?

—Hay veredas a los lados. Vamos, ése es el nuestro.

Salieron del hueco de la escalera, pasando al lado del guarda que seguía vigilando al perro con el escobillón preparado. El tren soltó un seco bufido al emerger en la estación, y avanzó rápido. Clara y Juan miraban al perro, esperando verlo enderezarse asustado, pero el animal se estaba quieto, como ausente, balanceando un poco la cabeza. El guarda tomó impulso y le dio con el escobillón en mitad del cuerpo; calculó muy bien, porque el perro cayó en la vía un segundo antes de que pasara el tren, y su aullido se apagó juntamente con el grito de Clara, tragados por el estrépito de frenos y de fierros.

V

—Fíjese.

El vendedor López mostraba entomológicamente un recuadro de la página dos de *La Nación*.

—"Se previene a la población que, a la espera del resultado de los análisis que en estos momentos efectúa el Ministerio de Salud Pública,

Leía con chasquidos de lengua, desaprobaciones mentales, carrasperas

no se deben utilizar como alimento los hongos aparecidos anoche, en muy pequeña cantidad, en esta capital."

—Dígame, señor, si no es el colmo.

—¿Los hongos, o no poder comerlos? —preguntó Andrés, suspirando.

—Me refiero al tono del comunicado. Hipócrita, señor Fava, lo llamo yo. Hipócrita. Quieren poner una venda en los ojos de la gente. Como si alguien pensara en comerse esas asquerosidades.

Bajó la voz, misterioso. Haciéndole una seña (el viejo vendedor al viejo cliente) se llevó a Andrés detrás de una enorme pila de ediciones Santiago Rueda, Acmé, Losada y Emecé. Agachándose, examinó un anaquel bajo y vacío. Luego se enderezó, bufando triunfante, y mientras inspeccionaba a su alrededor con aire inocente, hizo otra seña para que Andrés se agachara a mirar. En el fondo del anaquel fosforecían débilmente dos honguitos plateados. Andrés los miró con interés, eran los primeros que veía.

—Es la inmunda humedad —dijo el vendedor López— Me podrán venir con todos los cuentos, pero yo sé a qué atenerme. Nunca se vio un calor así, una humedad tan horrible.

—Es cierto —dijo Andrés—. Más pegajoso que Rachmaninoff. Pero no creo que estos hongos...

—Créalo, señor Fava. Es la humedad, convénzase que es la humedad. Yo le digo al señor Gómara que hay que hacer algo aquí adentro. Vea este libro, cómo se arquea, qué aspecto tiene...

Andrés tomó el volumen, titulado *El arco iris;* estaba blando y olía a sebo.

—Nunca creí que un libro pudiera podrirse como un hombre —dijo.

—Bueno, eso... —Un poco escandalizado

podrirse

habiendo palabras tan bonitas

que significando lo mismo

pero esa tendencia de los jóvenes

a —

y para opaté le buryuá nada más

Andrés caminó por el vasto salón de planta baja de *El Ateneo.* "Mis años de estudiante", pensó, secándose la palma de las manos. "Mis dos pesitos, mis billetitos de cinco... Y esto está tan parecido. ¿Qué habré comprado primero? No me acuerdo

pero no acordarse es haber matado, la traición. Yo he estado aquí un día, entré por esa puerta, busqué un vendedor, le pedí un libro

Y ahora no me acuerdo.

Apoyado en una rojiza columna de diccionarios ideológicos de Casares, cerró los ojos. Quería acordarse. Sintió que le venía un mareo, y abrió los ojos otra vez. Silbó suavemente:

It's easy to remember
but so hard to forget —

Macana, joven Bing Crosby. Pero se acordaba de una de sus visitas: había comprado Esquilo, Sófocles, Teócrito, en los tomitos a un peso de *Prometeo*, editado en Valencia, ¿no los dirigía Blasco Ibañez?

y también (otra vez) *El Retrato de Dorian Gray* en la Biblioteca Nueva.

Ahora se acordaba de las librerías de lance, de la venta de libros por kilo. Así había comprado O'Neill, *Veinte poemas de amor*, *Hijos y Amantes*. Irse a un café. ("Mozo, un café y un cuchillo, por favor") abrir los libros, pregustarlos, ser feliz, tan feliz. Los días eran altos, y las desdichas ayudaban tanto a la felicidad.

"El gusto, la fragancia de los cigarrillos", pensó. "Y la sombra de los árboles en las plazas." Tomó un volumen de una pila, lo dejó. Tenía que secarse las manos a cada momento. Alzando la vista vio a los empleados del primer piso que andaban en torno a la barandilla; parecían insectos, uno silbaba *La canción de Solveig*. "Qué animal", pensó Andrés con ternura. Había entrado al *Ateneo* para comprar el último libro de Ricardo Molinari, en la puerta se quedó un rato viendo pasar a las Ochenta Mujeres. La primera llevaba el raro cartel que algunos diarios comentaban, la referencia a las profecías sibilinas, y la incitación a afiliarse

SIN PERDER UN SOLO DIA
PUES UN DIA PUEDE PERDERTE
OH MUJER
HERMANA DE LAS OCHENTA
QUE REZAN REZAN

y su música, esos crótalos de material plástico agitados frenéticamente

OH MUJER

mientras una locutora argüía con una rara monodia proselitista, oculta en un camión con altoparlantes desde donde arrojaban panfletos.

"Purificación", pensaba Andrés, mirándolas. "Qué miedo tienen, qué presagio adivinan..." La procesión estuvo un rato parada ante Gath y Chaves, y se perdió Florida abajo. Cuando Andrés entró en el *Ateneo* (eran las cuatro de la tarde) otro camión pasó velozmente, repitiendo con voz de camión un boletín oficial donde figuraba el párrafo sobre los hongos.

—Qué calor, Fava —dijo Arturo Planes del otro lado de la pila de libros de la Colección Austral—. Y cómo te va, viejo.

—Ahí vamos, pasándola. Oyendo hablar.

—Se oye más que eso —dijo Arturo tendiéndole una mano grande y roja, chorreando sudor—. Estoy harto de parlantes. Vos no vivís en el centro, creo, pero nosotros, aquí...

—Me imagino. Ser vendedor en la calle Florida

bueno qué lata

—Y de libros, que es tan aburrido —se quejó Arturo—. Menos mal que en estos días hay más diversión aquí adentro. No lo vas a creer, pero en el primer piso

(se ahogaba de risa, lanzaba miraditas hacia arriba)

che, es grande,

arriba se la han pillado en serio. Creen que es la escomúnica o qué sé yo. Desde anteayer, cuando apretó el viento norte.

—¿Y qué hacen? —dijo Andrés, distraído, acariciando un tomito con relatos de Luis Cernuda, acordándose:

De qué nos sirvió el verano,
oh ruiseñor en la nieve,
si sólo un orbe tan breve
ciñe al soñador en vano?

—Se lavan —dijo Arturo, retorciéndose.

El vendedor López pasaba con los brazos llenos de ediciones de Kapelusz, y dos adolescentes tímidas iban tras él como temerosas de perder sus libros. Andrés las miró, remoto. "Todo se va", pensó, "y ellas estarán quietitas estudiando los ríos de Asia, las isobaras

las tristes isotermas". Una de las chicas lo miró, Andrés le sonrió apenas y la vio bajar los ojos, mirarlo otra vez, olvidarlo. Se sintió caer en el olvido de la niña, su imagen deshaciéndose en una nada instantánea. Kapelusz, isotermas, el promedio, Tyrone Power, *I'll be seeing you*, Vicki Baum.

—Che, atendé lo que te digo —se quejó Arturo—. ¿Vos también estás como abombado?

—Por supuesto —dijo Andrés—. ¿De manera que se lavan?

—Sí, en medio de la oficina. Te lo juro por lo más sacrosanto. Mirá, subí a ver, andá sin miedo. Yo no puedo dejar la sección. Andá y después me contás. ¿No querés algún ladrillo de mi sección?

—¿Cuál es tu sección?

—Urbanismo y vialidad —dijo Arturo con algo de vergüenza—. Cosas sobre el hormigón armado y las ciudades funcionales.

—Realmente no está en mi línea —dijo Andrés, dejando el volumen de Cernuda. "El indolente", pensó, acordándose. "Poder urdir una vida de modo que su momento más hermoso culminara en una casa de piedra con la playa a los pies, arena y aguas hasta el fin..." Sonrió al ladrido de un altoparlante en la calle. Una monja, guardiana de una chinita asustada, miraba las pilas de *My first English Book*; el sudor le colgaba del fino bozo negro y a veces, con un movimiento de impaciencia, se espantaba una mosca. Estaban cerrando la doble puerta (el vendedor López y el señor Gómara) para atajar la niebla que ya no dejaba ver la vereda de enfrente.

La escalera estaba vacía. Cruzó entre mesas y estantes, buscando sin entusiasmo lo que tanto divertía a Arturo. Inclinado sobre la barandilla ("ahora yo también pareceré un insecto", pensó) le hizo una seña de desconcierto. Enérgico, Arturo apuntó para el lado de las oficinas. Andrés vio las ventanillas mezquinas, se acordó de un crédito que había pedido una vez para comprar Freud, Giraudoux, García Lorca; todo leído, todo pagado, casi todo olvidado. Los empleados salían con demasiada soltura por la puertecita a la derecha, que daba casi sobre la barandilla, y Andrés tuvo la impresión

Hermana de las ochenta
que rezan
rezan

la voz llegaba ahogada
y con una mezcla de bocinas y crepitaciones de la calle,

la impresión de que se retenían prodigiosamente (uno estaba tan pálido, otros rojos y moviéndose continuamente)

como obedeciendo a una imperiosa consigna. "No me van a dejar llegar ahí", pensó Andrés. "Qué lástima no estar con Juan o el cronista." Un teléfono llamaba a su izquierda, y el empleado pálido

ahora había siete u ocho empleados, unos subiendo la escalera y los demás que salían de las oficinas,

corrió a atender. "Equivocado", oyó Andrés. Apenas había puesto el tubo en la horquilla cuando sonó otra vez.

—No, no. Equivocado —repitió el muchacho pálido, y miró a Andrés con aire suplicante, como si pudiera hacer algo.

—Ahora van a llamar de nuevo —dijo Andrés, y al mismo tiempo el teléfono empezó a sonar.

—Hola. No, no, equivocado. Disque mejor. Bueno, no es el número. No. Llame a la central. No sé.

—Dígale que disque el noventa y seis —dijo Andrés.

—Disque noventa y seis. Bah, ya cortó.— Se quedó mirándolo como a la espera de algo. Alguien llamaba: "¡Filipelli, Filipelli!" desde la mitad de la escalera, y el vendedor pálido se fue dejando a Andrés delante del teléfono que sonaba de nuevo. Andrés se rió al descolgar el tubo.

—¿Con lo de Menéndez? —dijo una voz fina, un poco urgida.

—No, esto es *El Ateneo*.

—Pero si yo disco el número de...

—Sería mejor que pida por la supervisora —dijo Andrés.

—¿Y cómo se hace?

PUES UN DIA PUEDE PERDERTE

—Disque noventa y seis, señorita.

—Ah. Noventa y seis. Y entonces —

OH MUJER

—Entonces pide por la supervisora. Y le dice lo que le ocurre con el número de...

—De Menéndez —dijo la voz—. Gracias, señor.

—Buena suerte, señorita.

—Me hace falta —dijo increíblemente la voz, y se oyó cortar. Andrés retuvo un poco el tubo en la mano, sin pensar, viviendo el teléfono,

esa cosa por donde un segundo algo suyo y algo ajeno
unidos sin estarlo

OH MUJER

oyéndose pero para qué
y quién sería   unidos sin estarlo
un segundo, un roce
la nada, como Clara, como otra vez Clara

SIN PERDER UN SOLO DIA
HERMANA DE LAS OCHENTA

Puso el tubo en la horquilla. Sentarse un rato en las banquetas de cuero, mirar desde arriba, con el consuelo de mirar desde arriba a los demás, la calva del vendedor López, las manos como cangrejos hervidos de Arturo Planes, los libros

QUE REZAN REZAN

Pero aprovechó un camino libre hasta la puertecita de las oficinas, ahora que los empleados no parecían ocuparse de los extraños. La puerta oscilaba levemente; por sobre el tabique y los vidrios esmerilados oyó un chapoteo, una tos ahogada, un murmullo colectivo. Entró, con las dos manos en los bolsillos del saco, sin mirar a nadie en especial, dejando apenas paso a un señor gordo de pelo blanco que tropezó con la hoja de la puerta y maldijo (pero no a la puerta, más bien a él mismo), dejándole a Andrés amplio lugar para que se apoyara en unos estantes repletos de biblioratos y mirase la escena, un poco cegado por el amarillo resplandor de los ventanales donde la niebla se había posado borrando los edificios de enfrente. Cuando se habituó a la luz amarilla y pudo detallar la bañadera en el centro (habían corrido los escritorios formando como un pequeño ruedo de circo, un circo de barrio hasta con el aserrín en el suelo)

No se deben utilizar como alimento

vio a la jefa de créditos al borde de la bañadera, con dos chicas a cada lado, y los hombres (ocho o nueve) algo más atrás y en el extremo más angosto de la

porque era una bañadera de cinc para niños, con su formita de ataúd náutico, su reborde gracioso y su color gris que el agua llenaba de estrellas, blancas, reflejos azules

como en el intervalo de una ceremonia. El fondo de la oficina estaba en penumbra, el resplandor amarillo cubría el circo central (pero ya Andrés había visto a los otros empleados amontonados más allá, el sofá de cuero reventado, y una larga figura tendida en el sofá, como durmiendo o desmayada). Casi nadie hablaba en ese momento, y aunque las mujeres miraron a Andrés y él tuvo la certidumbre de que todos ahí advertían su presencia, las cosas continuaron, empezando porque la jefa de créditos hizo un signo a uno de los hombres, que salió del grupo y

a la espera del resultado de los análisis

("Cómo escorchan con los análisis", dijo uno de los del fondo)

vino a colocarse al lado de la bañadera, esperando que la jefa de créditos le hiciera una segunda señal, para agacharse despacio y meter una mano en el agua, sacar agua en la palma, agachar la cabeza, lavarse la boca y el mentón con el agua

mientras una de las chicas esperaba con una toalla ya muy mojada y la jefa de créditos decía algo que Andrés no oyó porque andaba cruzando por el lado de los ventanales y acercándose al grupo del fondo donde otros empleados atendían al hombre del sofá. El vendedor López llegaba por el otro lado, agitadísimo, trayendo una esponja de baño empapada en vinagre (olía a vinagre, pero después le pareció a Andrés que podía ser amoníaco, o una mezcla de sales como la que Stella llevaba en su cartera en los días en que

aunque predominaba el vinagre). A su espalda seguía el murmullo, los chapoteos. "Han perdido la cabeza", pensó Andrés, y después pensó que no, que quizá lo que todavía salvaban era la cabeza; técnica de purificación

porque eso era una OH MUJER

y habilidosa manera de

sí, le pasaban la esponja por los labios, y entonces Andrés abarcó en detalle al desmayado, la extendida figura inerte, el rostro (pero sí, ahora se daba cuenta) visto en tantas conferencias (le habían retirado los anteojos, uno de los empleados los tenía en la mano), las cejas pobladas, las mejillas imberbes, el flaco cuello sobre el cual caía, doblada y ridícula, la corbata azul que le habían desprendido. Sin saber quién era, tuvo el choque del reconocimiento, la fraternidad de los grupos, los equipos, las camadas.

"Fraternidad no", se dijo, "más bien seguridad, saber que siempre nos encontraremos con las mismas caras en las librerías, en las sociedades de escritores, en la Casa, en los conciertos. Y éste..." Lo había visto en galerías de cuadros, en cines donde ambos (ahora se daba cuenta del paralelismo) perseguían hasta el final una película de Marcel Carné o de Laurence Olivier. "Estaba en los conciertos de Isaac Stern", pensó, angustiándose de pronto, "estaba en la última exposición de Batlle Planas, en un curso de don Ezequiel, en las clases de Borges en la Cultural —"

—Se desmayó cerca de la puerta —dijo el vendedor López, reconociéndolo.

—Parece que elegía libros y lo vieron que se caía. Esto lo va a reanimar, y vos, Osvaldo, mejor traé agua y a ver si hay coñac. También con este calor

Pero sabía (y Andrés supo que él sabía, que todos sabían)

y que la esponja era un gesto, el vinagre (con amoníaco) un gesto.

—¿No hay un médico? —murmuró, cansado, agarrándose del borde del sofá.

—Pero si no es nada, un vahído. Aquí ha pasado tantas veces.

Andrés miraba el cuerpo, el cabello oscuro, corto y desaliñado, los zapatos sucios, las largas piernas. Una mano (enorme, flaca) descansaba en una rodilla: la otra estaba boca arriba, como pidiendo. Por entre las pestañas salía un reflejo verdoso. "Quién será", pensó. "Y por qué de golpe —" Cerró los ojos, tambaleándose ligeramente. El vendedor López lo miró con inquietud. Andrés abrió los ojos al sentir la quemadura del amoníaco en la nariz. Respiró fuerte, sonriendo.

—Vamos, no es nada —dijo, rechazando la esponja—. ¿Quién es este hombre?

—No sé —dijo el vendedor López—. Venía seguido pero no tenía cuenta. Parece muy joven, yo a veces lo atendía.

Los otros miraban. Andrés oyó otra vez el chapoteo a su espalda, el murmullo. Antes de irse —porque realmente él no tenía nada que hacer ahí — parado a los pies del sofá miró al muerto, abarcándolo entero. Le pareció que la mano palma arriba se cerraba imperceptiblemente; pero era un efecto de luz.

Sentado en un peldaño de la escalera y apoyándose contra la pared, veía los zapatos que subían y bajaban corriendo. Pasó el vendedor Osvaldo con el vaso de agua reclamado. Pasó el joven pálido del teléfono.

No sé qué pensar —murmuró Andrés—. Si se ha muerto en el buen momento, o si hubiera merecido seguir un poco más. ¿Qué derecho tenía de morirse así, justamente ahora? Esto es un escamoteo.

Se sentía irritado, seguía viendo esa cara tan blanca y sin relieve, de pómulos salientes, mentón débil y sienes hundidas. "Escapista", pensó, colérico. "Entre la niebla y las Ochenta Mujeres, escapista. Cobarde." Y la ternura lo ganaba. Ahora veía mejor la flaca figura en los pasillos del Odeón, se acordaba de un choque involuntario y un cambio de excusas, frente a la boletería de un cine. Siempre solo, o hablando con amigos pero solo. ¿Quién era? Pensó si habría dejado algún libro, alguna música. Sonriendo, dolido, se reprochó esa necesidad de calificación. Todo lo que podía decir, todo lo que valía, era la frase de Marlow al hablar de Lord Jim: *He was one of us.* Y no ayudaba mucho, realmente.

"Bueno", pensó, "ahora se va a podrir. Pasará por todas las etapas de un cadáver correcto" —y era curioso porque se veía a sí mismo, pensaba en el muerto pero era a él mismo a quien estaba viendo descomponerse. ¿Por qué no? Si de algo se podía tener seguridad era de esa saponificación final; preverla (aunque todo el cuerpo tirara para atrás como un caballo que huele osamenta) era casi una completación moral. Llevar hasta su última instancia el sentimiento de la vida, de haber sido un hombre. "No me acabo con la muerte", pensó, quemándose la boca en el cigarrillo. "Yo he sido mi cuerpo y le debo la lealtad de acompañarlo hasta el final. La imaginación va hasta la puerta y ahí se despide, huéspeda amable. No, salgamos a la calle, hagamos el camino. Si me acabo con la muerte, esto que estoy sintiendo vivir y que es yo, horriblemente sigue noches y noches, hinchándose, creciendo, desgarrándose, reduciéndose— Lo menos que puedo hacer es prever su destrucción, mirarla desde la vida. Ah, Orcagna, pintor de putrefacciones—"

Pasaban gentes a su lado, mirándolo de reojo. Uno iba con un maletín. Ya habrían dado con el médico. "Para qué", pensó Andrés. "Le van a pinchar los brazos y el pecho, le va a meter coramina para mostrar su eficiencia, lo va a sacudir y desnudar y envilecer." Tenía ganas de volverse, de gritarles que el hombre estaba muerto. Todos lo sabían tan bien, todos esperaban que el desmayo no fuera nada.

—Me estoy poniendo viejo —murmuró Andrés—. Sentimentalizo todo lo que toco.

Desde su escalón veía a la gente comprando libros, a Arturo que se afanaba en su sección. Acababan de abrir las puertas como si hubiera menos niebla, pero no se oían ya los parlantes de la calle. Pasó el vendedor Osvaldo, con el mismo vaso de agua. Andrés vio que el vaso estaba lleno. "Qué raro que no se le haya ocurrido tirarlo en la bañadera." Le vino la idea horrible de que a lo mejor estaban metiendo al muerto en la bañadera, para que reaccionara. "Pero claro, si ya tiene la forma necesaria." *Ars moriendi*, pero morir no es un arte. "Ese día en que supe que ya he muerto otras veces —" tan claro, tan sin solemnidad; no un espectáculo, como los sueños, más bien un pasaje liviano, un pájaro: la muerte repetida,

volvedora.

"Podrirse otra vez, tantas veces como se vuelva. Rescate forzoso de una temporada al sol"

> *The Sunne who goes so many miles in*
> *a minut, the Starres of the Firmament,*
> *which go so many more, goe not so fast,*
> *as my body to the earth*
>
> Donne

"Chantaje del alma, monsergas", pensó Andrés. "Las trompetas resucitarán los cuerpos. ¿No está dicho así? De ellos era todo el sol, todo el espacio. Cada muerte niega el mundo: yo no soy mi muerte, soy el mundo, lo sostengo como una naranja contra el sol. No soy mi muerte: la lanzo al fondo de mí, a lo tan lejano que no tiene situación; es mi límite, como el límite de mi cuerpo no es mi cuerpo —aunque lo recorte del aire y lo haga ser—"

Hubiera jurado que ese chambergo en la sección novelas pero ya no lo veía.

"Morirse es como escribir", pensó Andrés. "Sí, Pascalito, vaya si morimos solos." Se acordaba de sus primeros cuadernos de ensayos, sus torpes novelas. Todo lo que de ellos hablaba con los camaradas; las ideas, la discusión del planteo, los ambientes. Y después su piecita, el mate amargo, la alta noche; a veces su gato negro sobre las piernas, ajeno pero tan tibio. Solo, frente al cuaderno; sin testigos. Como al morirse, porque los empleados no habían visto morir al desconocido, sólo derrumbarse. Tal vez él en ese momento estaba con otros, pensaba en otros; tal vez su última imagen había sido el lomo de un volumen o el ruido de unos tacos apurados, a su espalda. "Si por lo menos un libro alcanzara la dignidad de una muerte", pensó Andrés, "y a veces viceversa—" Qué tentación de metáfora, cómo la muerte invitaba a abrazarla con palabras, traerla un poco del lado de la calle, inferirle atributos para negar sus negativas.

Pero seguramente que sí, ahí estaba de nuevo.
Vaya coincidencia. Y Arturo hablaba con

"Después de todo, morir no será asunto mío", pensó Andrés, burlándose, apretada la garganta por el recuerdo del hombre allá arriba. "Si algo soy es vida, no te parece. Estoy vivo, soy porque estoy vivo. Entonces no veo cómo puedo dejar de vivir sin dejar de ser lo que soy. Oh razón, oh maravilla.
Qué claramente se sigue que
si al morir no soy yo
el que se muere es otro. ¿Y qué me importa, entonces? Le puedo tener lástima desde ahora, tenérsela ahora. Es ahora que me duele que ése que fue yo esté muerto. Pobre, tan meritorio. Escribía y todo. Con un futuro tan pluscuamperfecto..." Encendió otro rubio, mirando con sorpresa cómo le temblaban los dedos. Abel estaba delante de los libros de economía, con las manos en los bolsillos
pero sí pero sí con las dos manos en los bolsillos
y negaba suavemente algo que debía estar pensando, el chambergo azul se columpiaba sostenidamente. Andrés lo
olvidó, la figura tendida en el sofá se alzaba, dura e inútil. Cadáver, horrible estorbo.

"Ese muchacho debería venir a sentarse a mi lado", pensó Andrés. "Dejar al otro en el sofá
si no lo han metido en la bañadera
venirse a este salón y decirme: Se murió; pero a mí, que era su vida, qué más me da." "Y fumaríamos juntos."

Si no venía, ojo, si no venía,
entonces era grave. "Si no viene es que no basta con pensar en esto; algo atroz impide la escisión. El vivo se va

con el muerto ... Pero no puede ser, no es justo, no es digno. Acabo de sentir tan claramente que no soy yo el que morirá un día... No puede ser que él, de alguna manera, aire o imagen, o sonido, no esté aquí, no ande libre..."

Bajó la cabeza, cansado. "Pero si no has hecho más que argüir, que fabricarte un doble como otros un alma. El *ka*, viejito; llegás tarde, te repetís..." Y sin embargo había *sabido* que sólo la vida era suya, era él, y que lo otro...

—Entonces es el despojo —murmuró tirando el pucho y pisándolo—. Basta de fantaseo. No le pidas al discurso lo que es del canto. Lindo, ¿no? Las cinco y diez, los chicos, el examen. Arriba, vitalista.

La risotada de Arturo lo esperaba al pie de la escalera.

—¿Te lavaste la cara vos también?

—No, y eso que me hace buena falta —dijo Andrés mirando su pañuelo mojado y sucio—. Me pareció que no correspondía que yo, sólo conectado al *Ateneo* por alguna frecuentación y el diez por ciento de descuento...

—Bah, están locos —dijo Arturo, agitándose—. El idiota de Gómara me quería hacer ir. Son tarados, che.

—Lavarse no está nunca de más —dijo Andrés—. Yo que vos iría. Se ha puesto muy divertido, con un muerto y los primeros auxilios.

—Avisá —dijo Arturo, mirándolo de reojo.

—Andá a ver, si no creés.

—Me estás tomando el pelo. —Lo miraba sin mirarlo, conteniéndose. De golpe soltó una risa (pero Andrés reconoció la calidad quebradiza, la otra procedencia del sollozo), y se largó escalera arriba. Alzando despacio la cabeza, para darle tiempo a llegar, siguió su carrera; iba pegado a la barandilla y no se desvió al cruzarse con el vendedor López. Apartándose, el vendedor López lo miró correr. Detrás de él venía el médico del maletín.

"Qué curioso", pensó Andrés, divertido. "Cómo se escurre."

Buscaba a Abelito detrás de los estantes, en el recodo

del ascensor, por el lado de la caja. Después se largó a la calle con deseos de andar, de oler el olor amarillo. En la esquina de Corrientes habían instalado un dispensario de emergencia; entre la niebla se veía a los practicantes de blusas blancas y a las enfermeras, el dispensario ocupaba la vereda de Mayorga, su pasaje en diagonal (allí daban inyecciones y repartían volantes contra el peligro de los hongos) pero se extendía hasta el medio de la calle

desde que, luego de los hundimientos en la esquina de Maipú, repetidos desde la mañana y abriéndose en estrella,

el intendente había ordenado en persona el corte del tráfico en esa arteria, así como en Maipú, Esmeralda y Lavalle. Sólo podían entrar las ambulancias corriendo sobre la vereda norte de Corrientes; las hacían venir desde Suipacha, y los camilleros esperaban en la esquina de Bignoli para bajar a los desmayados o intoxicados. Un camión de la policía federal estaba en la acera de Trapiche, con toda su dotación pronta para intervenir en caso de que (por ese exceso de imaginación de los porteños, que tiende a superar la letra de los comunicados) sobreviniera algún pánico en la zona del dispensario.

—Estos no van a poder llegar a la Facultad —dijo Andrés, que empezaba a proyectar en plena calle su antigua tendencia a hablarse en alta voz. Oyó distraído un altoparlante desde donde se enumeraban sanciones ejemplares contra los comerciantes que cerraban sus tiendas antes de la hora reglamentaria. Bignoli estaba cerrado, y también Ricordi. Una feroz trifulca de cuzcos divertía a los vigilantes del piquete. Aunque en pleno día, la zona que rodeaba al dispensario estaba iluminada con reflectores instalados en techos y balcones. A intervalos regulares se oía una pitada. Las ambulancias (debía haber muchas) se anunciaban desde lejos con aullidos cortos y continuados. La gente ya no parecía escucharlas, pero era curioso que hubiese semejante multitud en la calle y en las esquinas, y que la policía la dejara estacionarse, molestando a los que trabajaban en el dispensario. Una columna (o más bien grupos compactos, moviéndose en el mismo sentido) subía por Florida, pasando frente al dispensario, y continuaba

pero al cruzar Corrientes la luz saltaba en los rostros sucios, los pelos apelmazados, los chicos tragando maní y coca-cola, la ropa ajada por la niebla, el calor que se hacía más fuerte en la aglomeración

subiendo hacia Lavalle, perdiéndose otra vez en la oscuridad amarilla de la bruma. Andrés se deslizó pegado a la línea de edificación, tratando de ver por las mirillas de la lona que limitaba el dispensario. Nadie le dijo nada cuando se asomó, aprovechando un espacio abierto, al lugar más o menos protegido donde iban poniendo las camillas con los intoxicados. La luz caía desde arriba como sobre una pista de circo, todo tenía un aire circense desde la blusa blanca con enormes lunares de sangre del médico que se inclinaba sobre el cuerpo de un muchacho, mientras dos enfermeras le bajaban a tirones el pantalón para que pudiera inyectarle algo en la nalga. El chico gemía con los ojos cerrados, como si tuviera miedo o vergüenza. Una de las enfermeras se rió, le hizo una caricia burlona en la mejilla. En lo alto, contra el reflector, revoloteaban los insectos del verano adelantándose a la noche; una mariposa de alas cenicientas se puso a andar, temblorosa, por la manga de Andrés. Andrés la acarició como si también fuera la mejilla del niño. Entraban con dos accidentados, y del lado del pasillo de Mayorga llegaron practicantes y una enfermera. Una de las enfermeras miró a Andrés, que no se movía. En la camilla de la derecha se agitaba una mujer anciana, la mariposa voló de la manga de Andrés y cayó sobre el pelo de la mujer.

—Andá a descansar —dijo uno de los médicos recién llegados al que había dado la inyección al muchacho—. Hay café caliente.

—Bueno, fijáte a ver qué tiene ésa.

Pasó al lado de Andrés. Se reconocieron sin sorpresa.

—Qué hacés, pibe —dijo el médico—. ¿No te sentís bien?

—No, se me ocurrió mirar nomás.

—Bueno, no hay mucho que ver. Vení a tomar café. Che, hace un siglo que no nos veíamos.

—Desde la peña del sótano —dijo Andrés—. Desde hace tanto

(y por una rara, imperseguible asociación mental, se acordó del viejo disco de Kulemkampf tocando una Siciliana de von Paradis; pero ellos no tocaban ese disco en la peña del sótano. Más bien Louis Armstrong y *Petrushka*, o *La Création du Monde*.)

—Ya veo que andás atareado —dijo por decir algo, esperando poder zafarse de ese vano, inútil

como tantos otros

catalizador de recuerdos.

—Nos tienen locos —dijo el médico—. Esta tarde me tengo vistos cerca de cuatrocientos culos, algunos no del todo malos. Vení por acá.

Se metieron en otro cuadro, casi a oscuras, donde los parientes esperaban que les devolvieran a los enfermos. El médico se abrió paso a empujones, pero Andrés vio que no procedía con mala voluntad, más bien buscaba disimularse a sí mismo que estaba harto y deshecho. Se guarecieron en un espacio de apenas tres metros cuadrados. Un soldado atendía una cocina de campaña, y puso mala cara cuando el médico le pidió café.

—Tendrá que esperar. Ese desgraciado de Romero...

—¿Qué pasa?

—Se mandó mudar. Se cagó de miedo y rajó. Me plantó con todo.

—Vamos bien —dijo el médico, eligiendo un cigarrillo—. Todavía el tipo es un pobre gaucho que no entiende. —Bajó la voz, mirando intensamente a Andrés.— Pero si yo te dijera que acaba de salir un avión y que... —Se detuvo, mirando al soldado.— Bah, para qué calentarse.

—¿Desde cuando andás en esto?

—Dos días que no duermo. La cosa estaba mal en Liniers y en la Boca. Pero desde anoche... —Tragaba humo hasta no poder inhalar más, y lo iba dejando salir como con un quejido.— Qué vida, pibe.

Lo miraba con indiferencia, en realidad hablándose a sí mismo, usando a Andrés como un espejo cómodo. Andrés le sonrió, contento de que él otro no se echara en el charco confidencial. Las moscas les andaban por las manos, y las dejaban estar. "Esbelta juventud", pensó débilmente. "Horror de estos encuentros. Banquetes de egresados, bodas de plata, pergaminos, te acordás de aquellos tiempos, viejo —" Se estremeció, desviando la vista. El médico hablaba con el soldado, que le mostraba una mancha sobre el dorso de la mano. Andrés retrocedió, callado, y por una abertura de la lona se tiró a la calle. Lloviznaba.

—Pero tenés el pantalón todo mojado —dijo Stella—. ¿Es agua?

—Peor: vino —dijo Andrés, y se dejó caer en una silla.

—¡Vino! ¿Cómo te podés haber manchado así de vino? Toda la pierna izquierda.

—San Martín y Tucumán, nena —dijo Andrés—. Mozo, caña seca. Traiga la botella.

—Creí que no llegabas nunca —dijo Stella—. ¿Qué te pasó?

—Contáme primero por qué milagro pudiste llegar vos.

—Ningún milagro —dijo Stella—. El 99.

—¿Todavía andan?

—Sí, pero una señora dijo que era el último, y que el guarda se lo había oído decir a un inspector.

—En fin —dijo Andrés—. La cosa es que pudiste llegar. —Se bebió dos vasos de caña, y encima uno de agua. Estaba estúpidamente contento. Estiró la mano y rozó el pelo de Stella. Una pelusa se le quedó en los dedos, y tuvo que usar la otra mano para desprenderla. Stella esperaba todavía su relato.

—Bueno, para tu práctica de inglés, te voy a recitar esta muestra de William Blake —dijo Andrés, felicísimo—. *Sund'ring, dark'ning, thund'ring! Rent away with a terrible crash...*

—Traducímelo —pidió Stella.

—No vale la pena —le sonrió Andrés—. *No light from the fires, all was darkness in the flames of Eternal fury.* Lo que equivale a decir que la esquina de la Caja Ferroviaria era un pandemonio riguroso. En mala hora se me dio por salirme de Florida. Todo iba tan bien por Florida.

—Pero el vino —empezó Stella.

—Un camión de vino. Rompió el eje en un pozo. Pedazos del pavimento que se hunden, querida

Y en el sofá, bajo la luz amarilla
bajo los parlantes QUE REZAN REZAN
también esa piel tan blanca, pronta a hundirse, a

—Y te salpicó —dijo Stella.

—Me salpicaron. El camión se rompió hace rato. Parece que pusieron un vigilante para cuidarlo. Digo "parece" porque ya no estaba cuando pasé. Lo que había era un montón de gente divirtiéndose una barbaridad. Ponían las botellas vacías en la entrada de la Caja Ferroviaria, y bailaban en los pedazos sanos del pavimento. Para eso tienen una radio que le han sacado a un pobre tipo que andaba como alma en pena pidiendo que se la devolvieran. En el momento que llegué habían conseguido sintonizar una estación uruguaya y bailaban, creo, un tango de Pedro Maffia. No sé si estás enterada de que las radios de aquí no pasan más que boletines.

—Sí, estuve escuchando antes de salir —dijo Stella—. ¿Pero cómo te manchaste?

—Cometí la indiscreción de interponerme en la trayectoria de un vómito —dijo Andrés—. Tal vez a la pobre muchacha no le gustaba el tango de Pedro Maffia. Por suerte había una canilla abierta en la Caja. Me saqué el pantalón y lavé bastante bien la parte afectada. Lo retorcí y me lo puse de nuevo. De paso te señalo que a mi victimaria se la llevaban con los pies para adelante, y que ya quedaba muy poco vino disponible.

Se pasó la mano por la frente y estudió las gotas de sudor antes de secarlas con una servilleta de papel.

El "Florida" estaba casi vacío. Café de estudiantes, le gustaba a Andrés por hábito, por no saber soltarse del todo de ese pasado vespertino, los grupos sin otro objeto que no tenerlo, grescas verbales, el amor rápido, café, cuadros,

Clara y Juan, las noches. Cada día más lejos de todo eso

pero al barrilete que se aleja —y se sonreía, cruel— le pesa más el hilo, su historia y sostén,

y otra caña seca, y papas fritas (que estaban húmedas aparte de no ser papas).

—Yo vine tan bien, no me pasó nada —dijo Stella—. Eso sí, en la esquina de la Facultad estaban con unos camiones, creo que apuntalaban la pared del Instituto.

—Son las seis y media —dijo Andrés—. Ya casi no se ve, afuera.

—La gente se ha ido a su casa —dijo Stella—. En la puerta de la Facultad estaba el bedel. Lo saludé al pasar y no me conoció. Adentro se oía gente, pero me parece que no había mucha.

—Vámonos allá —dijo Andrés—, así no nos desencontramos con los chicos.

Pero se quedaron todavía un poco más. Un muchacho, en una mesa junto a la pared, revisaba papeles, tomaba notas. A veces se pasaba los dedos por el pelo suelto, se agitaba inquieto, después retornaba a la tarea. "Ese sigue", pensó Andrés. "Cuando se ven cosas así es para pensar que después de todo —— Pero a lo mejor es un diálogo para radioteatro." Se sentía fofo, ablandándose como las papas fritas. "Deberíamos aprender el arte de la esponja; llena de agua, pero separándola, conformándola, aparte de ella ——" Stella lo esperaba, muy mona con su blusa de seda azul, las finas piernas de dorado vello. Al pasar cerca del lector, Andrés resistió la tentación de detenerse y hablarle. "Quizá está tan solo como yo", se dijo, articulando cada palabra en su garganta seca. "Moral del escritor: noli me tangere. Así se llega, pero así se muere. Como ——" y ya no había palabras

sólo visión   sofá de cuero   largas piernas rígidas
mano   arriba

(y los anteojos —se acordó— bailando en los dedos de uno de los empleados,

los cristales por donde ya las cosas no pasarían para que sensibles células las entreviesen

sospechaba que eso ahí fuera MUNDO
el mundo, el mundo, el mundo)
—Es increíble —murmuró
ya estaba al lado de Stella, en la puerta
—esto soy yo
que sigue en el humo
copiándose rehaciéndose salvándose
Oh unidad final, acceso! ("Pero ya tengo demostrado que no es así", se dijo, admonitorio. "Brillantemente he visto que nada tengo que ver con ése que va a morir. Yo sigo, yo soy. ¿Palabras? Aquí, esto que toco. Respirá fuerte. Esto ahora. Yo, todavía, siempre. Qué me puede la nada."

—Stella, corazón —dijo Andrés—. Estamos a salvo de la nada.

—¿De la nada?

—Sí, Stella. A salvo, y no lo sabíamos. Yo no lo sabía bien y ahora empiezo a vivirlo. A salvo, a salvo. Stella, la nada es para los demás. Para ése que está muerto en una librería. Para ése, que ya no la puede negar. Pero tampoco es la nada puesto que él ya no es. Irrenunciablemente no somos la nada, no tenemos que ver con ella. No se mezcla con nosotros. Cuando cedemos como lo que somos, entonces ella avanza, pero no es nosotros. Inútil buscar palabras. Si dejamos de cantar parece que el silencio cae sobre la música, pero es mentira. Stella. Tampoco hay silencio. Solamente hay o no hay música. No aceptes nunca la idea del silencio. Atenti a ese taxi.

Cruzaron a la farmacia de San Martín y Viamonte, guiándose por unas luces vagas en el cordón de la vereda, dos faroles rojos señalando un hundimiento. Lo que creían un taxi era un coche negro con chapa oficial, lleno de policías custodiando a alguien que no pudieron ver.

—Tené cuidado con las ideas —murmuró Andrés, y Stella se dio cuenta de que no era a ella a quien se lo decía.

—Documentos —pidió el policía plantado en la puerta.

A mitad de los escalones, Andrés y Stella se quedaron mirándolo.

—No se puede entrar sin documentos.
—¿Por qué? —dijo Andrés.
—Tengo la orden y basta —dijo el vigilante.
Stella sacó su libreta cívica, y Andrés tuvo que revolver en la billetera hasta dar con la cédula de identidad. Cuando levantó los ojos, Clara lo estaba mirando desde la vereda. Juan y el cronista venían más atrás, enredados en una discusión.
—Hola —dijo Andrés, sosteniendo la cédula con dos dedos.
—Hola —dijo Clara.
—Hola —repitió Stella, subiendo los peldaños. Ofreció la libreta al vigilante, y pasó.
Clara se puso al lado de Andrés. Callados, subieron juntos los peldaños. El vigilante les tomó los documentos y los dejó pasar.

VI

Esto lo habían venido charlando Juan y el cronista desde la salida del subte en la estación terminal, porque las bocas de Florida estaban clausuradas y se
decía (Clara se lo oyó a un conscripto) que usaban
la estación como hospital de emergencia, bajando
a los intoxicados después de atenderlos en el dispensario de la esquina

y no estaban muy de acuerdo sobre la Casa y la Facultad. Lo seguro era que había odio entre ambas, que cierta
vez un Lector de la Casa había definido la Facultad diciendo: "Se distingue por su maciza escalera", y que un decano
de la agraviada había inventado para la Casa el título de
"*His Master's Voice*".

Al cronista le parecía que

pero cuando vieron a Andrés en la puerta se pusieron
tan contentos que no se discutió más ("tema baladí", dijo
el cronista) y en el vestíbulo desde donde remontaba la

maciza escalera

se juntaron los cinco a charlar, esperando la oportunidad de apoderarse del banco pegado a la caja de la

y miraron con alguna sorpresa una mesa donde los dos
bedeles se sentaban ocupando el centro del reducido espacio, con lo cual el tráfico de estudiantes se hacía lento
y complicado.

—Primera vez que veo a los bedeles tan importantes
—dijo Juan, golpeándose las mangas del saco como si así
fueran a perder la humedad que las arrugaba—. Mirálos,
están olímpicos.

—Siempre han sido muy majestuosos —dijo Clara, apoyándose en Juan como si no diera más—. Pero lo de la mesa es un poco exagerado. Vamos a sentarnos en la escalera, en cualquier parte.

—¿Se puede entrar en las aulas? —preguntó Juan a los bedeles.

—No.

—¿Por qué?

—Están cerradas con llave.

—¿Y no nos puede abrir una?

—No.

—¿Por qué?

—No tengo las llaves.

—¿Quién las tiene?

El bedel miró al otro bedel, mientras Andrés daba un paso atrás y se apoderaba del extremo del banco. Tocó el hombro de Clara, esperó que se sentara. El cronista vino a ponerse al lado de ellos, y los estudiantes que ocupaban el resto del banco se apretaron para dejarles sitio. "Solamente a mí se me ocurre salir con este traje", dijo uno como hablando para sí. "El tuyo es macanudo, una pluma." Clara escuchaba, perdida la voluntad en el desfallecimiento de la fatiga, el arribo, lo inmediato. "Pero le gusta que yo me empilche", oyó decir al estudiante del otro extremo. Andrés la estaba mirando, contra ella pero replegado, en un violento esfuerzo para no imponerle su contacto.

—Estás deshecha —le dijo. Sonaba a observación clínica.

—Sí, no puedo más. Ha sido un día...

—¿Ha sido? —dijo Andrés—. No sé, en cierto modo me da la impresión de que apenas empieza. Todo está tan en suspenso.

—No hablés como en los cuentos de fantasmas —dijo el cronista—. Pibe, si me pudiera sacar los zapatos. Si estuviera en la redacción ya me los habría sacado. Yo en realidad debería estar en la redacción.

Después explicó que había venido hasta la Facultad para acompañarlos, pero que no pensaba quedarse al examen porque sin duda su ausencia sería comentada en el diario.

—¿Vos creés? —dijo Juan, que se había sentado en el suelo frente a ellos.

—Para decirte la verdad —dijo el cronista— tengo la impresión de que a esta hora no se les importa un corno si uno está o no está en el diario. Qué bonita es su blusa, Stella.

—Es vistosa —dijo Stella—. Y sobre todo liviana. Veo que tiene buen gusto.

—La estrangulada de la calle Rincón tenía una blusa igual —dijo el cronista, mirando las piernas de la estudianta que empezaba a subir la escalera. Oyó el chillido ("realmente una rata", pensó) del bedel gordo, las piernas se le inmovilizaban, la orden de bajar inmediatamente.

—Pero si tengo que hacer una averiguación arriba —dijo la estudianta.

—¡Baje en seguida! ¡No se puede subir!

—¿Por qué no se puede? —dijo Juan—. Si me da la gana subo ahora mismo. ¿Quiere que la acompañe?

—No, no —dijo la estudianta, pálida—. Prefiero

me quedaré aquí

—Hace bien —dijo un estudiante—. Capaz que después no la dejan rendir.

Juan lo miró. Los bedeles se habían puesto a alinear planillas verdes con casilleros, líneas punteadas, números de orden y llamadas al pie. "Hijo de una gran planilla", pensó Juan mirando al estudiante que consultaba unos apuntes a mimeógrafo. "Hasta cuando —" La puerta que daba a la galería continua crujió penosamente.

—Mi madre, sopla viento —dijo el cronista—. No puede ser.

Con la bocanada de aire vino el olor, dulce y bajo, apenas perceptible al principio. Cola hervida, papel mojado, humedad, guiso recalentado, "aquellos olores de la escuela primaria", pensó Andrés, estremeciéndose, "ese jabón misterioso que flotaba en el aire de las aulas, en los patios. Nunca más encontrado, inolvidable. ¿Era el olor o era la manera de oler? Algunos sonidos, colores de la infancia, sustancias tan próximas a la cara, a la ansiedad —" Esto era un olor compuesto, cansado, un resumen moviéndose en el aire que entornaba las puertas. Hasta las voces, apagadas por el maderamen y la humedad, parecían parte del olor. Se dieron cuenta de que habían estado sintiéndolo desde que entraron, y que la bocanada de aire caliente no hacía más que condensar esa dulzona repugnancia continua.

—Te la debo, pibe —decía el cronista—. Un concierto así no ocurre todos los días. Lo que no te puedo describir es la cara del papá de Clara cuando se armó el jaleo. En el fondo era estupendo y estábamos como en familia. Lástima que faltabas vos. Hasta el tipo de anoche se dio una vuelta por allá. Y no te digo nada de éste, la de piñas que repartía, y las que cobró.

—La verdad que tengo una costilla dolorida —dijo Juan—. ¿No te parece, cronista, que ahora me toca a mí aprovechar un poco el banco?

—Naturalmente. Me sentaré en el suelo y oiré reverente vuestra conversación de universitarios. Lástima que Clarita se duerme.

—Lástima —dijo Clara—. Pero inevitablemente lástima.

—¿Por qué no la hiciste descansar?

—Desde que es mayor de edad tiende a manejarse sola —dijo Juan.

—No está como para un examen, como no sea clínico.

—No creas —dijo Clara, cerrando los ojos—. Tengo bastante fosforescencia. Sé todas las tablas hasta la del ocho. Sé todos los problemas. *Une paysanne, zanne zanne zanne* —. —Canturreaba, balanceando la cabeza.

—No creíamos que la cosa iba a ser tan complicada —dijo Juan. Yo mismo estoy acabado. Fijáte que mi suegro nos llevaba al concierto como a un descanso mental. Y después el viaje en el Lacroze, el asalto de la gente en Carlos Pellegrini. Oímos que había un incendio en la manzana del Trust Joyero, por lo menos se hablaba del humo, de tipos que no aguantaban el calor.

—Y a la salida de la estación se nos tranca el subte —dijo el cronista—. A los cien metros. Mirá, no nos podíamos mover y el calor era tan brutal que algunas mujeres gritaban. Delante de mí

pero para qué te joderé con estos cuentos.

—Dale —dijo Andrés—. Yo después te cuento uno mío.

—Una mujer se puso a llorar. Che, era algo de no creerlo. La tenían tan apretada que no podía zafar los brazos, y lloraba mirándome, las lágrimas le chorreaban por la cara, y no te digo el sudor, deshaciéndole la máscara, inventándole unas estalactitas de rimmel, una cosa horrible. Inmóvil, te das cuenta. Llorando. Yo no podía dejar de mirarla y ella no podía dejar de llorar. En un calabozo debe ser lo mismo, o en un hospital. Pero por lo menos te podés dar vuelta del lado de la pared para no ver, o para que no te vean.

—Veinte minutos así —dijo Juan—. No te lo deseo, viejo. Al rato todos sentimos la tierra. No sé cómo explicártelo, en un túnel de subte no te preocupa la profundidad porque el movimiento la anula. Pero de golpe esa quietud que dura, ese ahogo. Entonces mirás el techo del coche y sabés que arriba está la tierra, metros y metros. Yo haría un pésimo minero, viejo: geofobia, si me permitís calificarlo así.

—Linda palabra —dijo Andrés—. Se estira como un chiclet; da para mucho.

"Silencio" (era la voz de uno de los bedeles)

"No dejan trabajar"

—¿Me lo dice a mí? —preguntó Andrés.

—Se lo digo a todos —dijo el bedel—. Caramba, cómo están de cosquillosos. ¿No ve que estamos haciendo las planillas?

—Para decirle la verdad —dijo Andrés— las planillas casi no me dejan verlos a ustedes.

—No le digás más nada —lo atajó el cronista. Sacó un carnet y lo puso bajo la nariz del bedel que tenía más cerca—. ¿Ve esto? Como sigan compadreando les voy a sacar un suelto en el diario que los va a hacer saltar a los dos. —Guiñó un ojo a Juan.— Yo tengo mucha influencia, che, y no permito abusos.

—Nadie abusa —dijo el Bedel—. Pero hablen más despacio. Comprenda nuestra responsabilidad, señor.

—Absolutamente ninguna —dijo Juan—. Ustedes no tienen nada que ver con nosotros. Que venga el Secretario, o un profesor.

—Che, no hagan lío —dijo el estudiante de los apuntes—. Primero demos el examen y después hay tiempo de protestar.

—¿Vos sos Juárez, verdad? —le dijo Juan, levantándose.

—No, soy Migueletti.

"La técnica de este jodido para sacarle el nombre", pensó el cronista.

—Ah, sos Migueletti. Y das examen con nosotros, creo.

—Sí, salvo que se suspenda. Me parece que no hay profesores en la casa.

—Ah, estás enteradísimo de si hay profesores en la casa o si no hay profesores en la casa.

—Che, acabála —dijo Migueletti—. Si no te gusta, ¿para qué venís a dar examen? Quedate en la calle, che.

Andrés agarró del brazo a Juan y lo trajo junto a Clara. "El tipo le contestó bien", pensó con una cólera fría. "Estamos siempre donde no deberíamos." Juan miraba con ganas del lado de Migueletti, pero Clara lo hizo sentarse, lo retó en voz tan baja que los otros no la oyeron. Unas chicas que se habían reído del diálogo dieron la vuelta a la mesa y se acercaron. Dos parecían gemelas, la otra era pelirroja y al cronista le gustó en seguida.

—El tipo es un idiota —dijo una de las gemelas en voz baja— pero tiene razón en eso de que no hay profesores. Ya es la hora, y ni uno. ¿Ustedes qué hora tienen?

—Siete y cuarenta —dijo el cronista—. ¿Ustedes son de las que deslumbrarán a la mesa?

—Ay, sí —dijo la pelirroja—. Yo creo que todos los que estamos aquí damos el mismo examen. No hay más que esa mesa.

—Si es que hay —dijo la otra gemela, sonándose y mirando disimuladamente en el pañuelo. La puerta de la galería chilló de nuevo, pero con el olor vino un empleado de contaduría, vestido de azul eléctrico. Los miró vagamente y se perdió en un prolongado murmullo con los bedeles. La luz se apagó en la galería, volvió a encenderse, oscilaba, perdía brillo.

—¿Hay examen? —preguntó la pelirroja.

El empleado alzó las manos como si lo hubieran asaltado, y las hizo girar como si estuviera limpiando un vidrio. Luego se alejó a paso vivo, lo vieron entrar en la antesala del decanato. Se encendió una luz, pero el empleado retrocedió y cerró la puerta tras de él.

—Me ahogo aquí —dijo Clara—. Me voy a caminar por la galería.

—No la van a dejar —dijo la pelirroja.

Andrés miró a Juan, que escribía algo en su libreta. Fue con Clara hasta la puerta y la mantuvo entornada para que pasara. Caminaron en silencio por la galería, y cuando Andrés tocó la puerta de un aula pudo ver que estaba con llave.

—Aquí huele peor —dijo—. Es cada vez mas insoportable, pero de todas maneras deberíamos estar adaptándonos paralelamente. Parece raro que cada vez moleste más.

—Bien puede suceder, aunque sea muy raro, que no nos adaptemos a algunas cosas —dijo Clara—. ¿Me das el brazo, Andrés?

Como si el hacerlo le llevara delicadamente la vida, sostuvo a Clara que vacilaba al moverse.

—Estás helada —dijo—. No te sentís bien.

—Nervios. Esto que no se acaba.

Andrés ponía toda su fuerza para que ella no advirtiera el temblor de su mano. Recordó el paseo de la noche, y que recién después, al estar lejos de ella, había medido
al igual que   delicadamente frustrado
como un movimiento de sonata, que asoma y crece al salir del concierto, bajo los árboles de una plaza,
          cuando ya ni el sonido puede alterar su hermosura
Pero el brazo estaba ahí, lo sentía en su mano. El sonido, sustancia necesaria, carne para la idea inalcanzable.

—Todo dura demasiado —dijo Clara—. Tan difícil que una cosa coincida con nosotros. Anoche caminé demasiado, soñé demasiado, y hoy comí demasiado, estuve demasiado en el concierto, me aflijí demasiado en el subte, cuando tiraron al perro, cuando —

—Así que tiraron un perro.

—Fue infame. Lo estoy viendo todavía.

—Sí, son las cosas que seguimos viendo —dijo Andrés—. Somos tan blandos. No sé si sabés que las placas sensibles se hacen con gelatina.

—Hoy quisiera no ser yo —dijo Clara—. Cuando pienso que anoche vivía tan feliz imaginándome que estaba furiosa. Esperándolo a Juan en la Casa, haciéndome un drama porque llegaba media hora tarde.

—Mirá —dijo Andrés, con una leve presión de la mano—. Mirá ahí. —En el recodo adonde habían llegado, dos individuos descolgaban un retrato. Uno lo desprendió del gancho, alcanzándolo al otro que le sostenía la escalera con el pie. Ya habían bajado otros dos cuadros y los iban apilando en un rincón.

—Mudanza —dijo Clara—. Qué idiotas.

—No, no se mudan. Quieren mudar a los demás. Empiezan con los más indefensos.

—¿De quién hablás? —dijo Clara, mirándolo.

—Creo que de nosotros —dijo Andrés—. De los retratos colgados en las paredes. Una vez pensé en lo que sentiría una música hermosa si le fuera dada una conciencia. No es imposible pensarlo, ¿verdad?

—Es lindo —dijo Clara—. Lástima que ya se ha escrito algo sobre eso en una revista que no debés leer, y que se titula *Narraciones Terroríficas.*

—¿Sí? —dijo Andrés—. Contámelo.

—Era tan idiota —sonrió Clara—. Lo único bello estaba en la idea central: Puede concebirse una dimensión (en otro planeta, por ejemplo) donde lo que aquí llamamos música sea una forma de vida.

—Bueno, me dedicaré a colaborar en la revista —dijo Andrés.

—Seré tu lectora asidua. ¿Y qué ocurriría si la música tuviera conciencia?

—Nada, se me dio por imaginar el horror de una música bella que se siente vivida por una boca indigna, silbada por un mediocre cualquiera. Mozart, por ejemplo, tocado por ese Migueletti. Y lo pensé al darme cuenta

lo vengo viendo desde hace tanto, pero hoy —

al sentir cómo los valores, esos retratos si querés, están inermes en las manos de los tipos que los apilan en un rincón. Que ni siquiera los destruyen; simplemente los arrumban.

—Nadie se deja arrumbar si no es arrumbable —dijo Clara, divirtiéndose en hacer rodar las erres—. Eso es lo horrible. Por lo menos vos te sentís acorralado, no sabés bien por quién ni contra qué. Pero pensá en la gente que ya no cuelga de su ganchito, y sigue posando de retrato sin darse cuenta de que la han tirado a un rincón.

—Como alguien que en plena noche se pusiera una máscara, un disfraz, y se quedara así, solo y a oscuras.

—No sé —dijo Clara—. Yo solamente puedo decirte que me siento acosada. No te creas que solamente por Abel. Es otra cosa. Desde anoche, cuando noté que los zapatos se me hundían en la tierra — Es tan difícil de explicar, Andrés. Es mucho peor que dar que no dar examen.

—Por lo menos ustedes tienen un examen —dijo Andrés soltándole el brazo y caminando delante de ella, hacia las galerías abiertas.

—¿Pero, y después? —le llegó la voz de Clara.

—Después tendrás que descubrirlo vos misma —dijo él, y se dio vuelta y la enfrentó, hostil. Clara lo miraba, prolongando la pregunta. Resbaló en la humedad, Andrés la sostuvo. Ahora la tocaba con ambas manos, fijándola en el espacio, frente a él. Clara tenía un brillo de humedad en la piel de las mejillas, en la nariz, y lo miraba, esperando más. "Qué darte que ya no tengas", pensó Andrés. "Si por lo menos pudieras salvarte, vos y Juan..." Vio creyó ver horriblemente el cráneo de Clara bajo su rostro y su pelo;

como si un viento negro saliera de ella y lo golpeara en la boca.

—Estás tan triste —dijo Clara—. Sos tan tonto, mi pobre Andrés.

El cráneo hablaba. La muerte futura vivía bajo este humo, este hedor de la ciudad. Andrés midió (cerrando los ojos, negando la imagen) la extremidad de su camino. Sin saber por qué se quitó los anteojos y los sostuvo en el aire. Nada estaba formulado, solamente veía (con la mirada que no precisa imágenes, la mirada que había contemplado el cráneo de Clara) una decisión, un paso,

borrosamente un gesto a cumplir.

—Las dos cosas —dijo, volviendo a ponerse los anteojos—. Triste y tonto. Tonto porque triste, pero no al revés. Mi tontería es tener una especie particularmente inútil e inoperante de lucidez. Y sobre todo, creéme, porque me falta lo que a Juan le sobra, el entusiasmo.

—A veces —dijo ella, bajando la cabeza— me parece tan niño al lado de vos.

—Es un hermoso elogio —dijo Andrés, rozándole el pelo con los dedos.

—Lo merecés —dijo Clara.

—No, no hablo de mí.

—Ah.

—Y que vale también para vos. Ahora es tu víspera, tu capilla. Mañana habrás rendido, nos volveremos a encontrar en los cafés o en los conciertos, y de esto quedará

"Pero es mentira", pensó, "estoy mintiendo como —"

en fin, un pasaje entre tantos otros.

—Vos sabés muy bien que no es así —dijo Clara—. ¿Qué necesidad tenés de usar palabras conmigo?

—Me incomoda la exageración —dijo Andrés—. Incurrimos en la costumbre idiota de problematizar cualquier cosa. No solamente lo personal, también lo que nos rodea, un día como hoy, una presencia repetida — Abel, si querés. No caigas en eso, Clara, vos que estás a salvo de tanta torpeza.

—Casi me estás aconsejando que cierre los ojos —dijo Clara—. Es un viejo consejo en este país.

—Lo que te pido es que no te rindas —dijo Andrés—. Lo que te pido es que sigas siempre en la buena víspera del examen.

Volvieron, mirando al pasar cómo los obreros habían terminado de apilar los retratos. Del subsuelo, por el hueco del ascensor y la escalera, subía un rumor confuso. Un bulto negro cruzó veloz las baldosas, se lanzó escalera abajo sin que tuvieran tiempo de ver

parecía una rata

aunque bajar así una escalera, a esa velocidad, probablemente un gato cachorro

pero ese deslizarse pegado a las baldosas,

tal vez confundidos porque las luces oscilaron, disminuyendo más y más, y sólo del pasillo dando a las galerías exteriores entraba un resplandor blanquecino, pero antes de que se habituaran a reconocer las formas se encendió una luz mortecina, reducida al mínimo.

—Era una rata —dijo Clara, con infinito asco.

—Puede ser —dijo Andrés—. Volvamos, si querés.

—No, no quiero. Me molesta toda esa gente. No sé, esperaba hablar con vos, pero en realidad no nos hemos dicho nada.

—Hay tan poco que decirse, si de decir se trata.

—Tenés razón. Siempre es como si las palabras y su tiempo estuvieran desajustadas,

perdonáme que sea ingeniosa

como si lo que debiera decirte ya no fuese oportuno, o lo será un día en que vos o yo faltaremos, y nada podrá ser dicho.

—Suena bonito —dijo Andrés, sin ironía—. Lo que ocurre entre otras cosas es que el descrédito de las palabras nos desnuda cada vez más. ¿Qué se puede *decir* delante de un Picasso? Nos hemos acercado tanto a las fuentes que las crónicas del viaje están caducas. Ya no creemos en lo que decimos, si es algo que nos toca más abajo del cuello.

—Lo malo —dijo Clara— es que tampoco hemos aprendido a prescindir. Si por lo menos supiéramos mirarnos, vernos —.

—Hubo un momento —dijo Andrés—. Pero entonces no lo supimos. No éramos capaces de saber qué esperaba de nosotros el destino, es decir nosotros mismos. Ahora es tan fácil corregir las erratas en el papel, pero el tiempo ya leyó el original. Hablando de ser ingenioso, ¿qué te parece el símil?

—Malo —dijo Clara—. Pero tan cierto, si es que lo entiendo. Vos ves, lo de Abel es un poco eso también. ¿Qué busca? Lo que pudo encontrar cuando no lo buscaba.

—¿A vos? —dijo Andrés.

—No sé, realmente. Supongo que sí, pero como en las pesadillas. No hay ninguna razón, Andrés: ninguna razón
ahora.

—No son razones las que lo mueven —dijo Andrés.

—Mirá —dijo Clara, y le dio a leer la carta. Tuvieron que ponerse debajo de un foco, la luz era cada vez más débil; como si los oídos se aguzaran por compensación, desde el fondo de la galería les llegó una carcajada (¿no estaba abierta la puerta? Sí, de par en par, y se veía la espalda del cronista, la mesa de los bedeles) y un ruido de papeles arrugados. Clara mezclaba confusamente el olor

en esa parte olía como a algodón mojado
con las formas, los sacos, las cabezas y las blusas blancas contra el maderamen y las paredes. Tomó sin mirar el pliego que Andrés le devolvía, lo guardó en un bolsillo.

—Supongo —dijo Andrés— que Juan anda con un revólver.

—No —dijo Clara—. Piensa que es una amenaza de loco.

—Por eso mismo. Bueno, me alegro de haberme echado la pistola al bolsillo. Se me ocurrió

(mentira)

no sé por qué, eso de creer que cuando las cosas no van bien —

—Me parece tan absurdo —dijo Clara—. En tus bolsillos no me imagino más que libros y tabaco.

—Ya ves —dijo él—. Ya ves si es absurdo.

"Armas", pensó Clara. "En este plano en que vivimos él y yo — Qué curioso el valor de algunos gestos, la vuelta atrás, al apoyo primario. De un revólver al agua bendita hay tan poco —"

—Debías tener exorcismos, algo más eficaz —le dijo—. Abel no está en tu camino, y aunque estuviera, ¿qué podrías contra él?

—No llevo la pistola por Abel —dijo Andrés—. Pero siempre puedo pasársela a Juan si llega el caso. Creo que tenés razón, y que no podría hacer nada para defenderte.

—Nadie podría —dijo Clara—. Por lo menos con una pistola.

—Hacés bastante bien en no creer en defensas —dijo Andrés—. Pero al menos no te olvides de los ataques.

—Bah —dijo Clara, casi con dulzura—. Todo esto... —Le mostró los cuadros apilados, el fondo de niebla, las baldosas por donde el bulto negro había corrido.— No creo que pudiera olvidarme. Todo está contra nosotros, Andrés.

Juan les hacía señas, y se oía chistar (el cronista). Mirando el suelo, Clara se puso a andar por la galería.

—Es inútil, y no te servirá de nada —murmuró, con una voz que a Andrés le pareció antigua, la de cuando ella no le hablaba con esa voz—. Pero quiero que sepas que lamento tanto.

—Clara —dijo Andrés.

—Sabés bien cómo lo quiero. No estoy arrepentida de haberme ido con él. En el fondo lo que me duele es que vos y él no sean uno, o que yo no pueda ser dos.

—Por favor —dijo Andrés—. Está tan bien así. No digas más nada.

—No, no está tan bien así —dijo Clara—. No está bien. Solamente está, como siempre.

—No lo lamentes —dijo Andrés.

—No es eso, no es precisamente eso. Lo que duele es estar segura de haber hecho lo justo, y en ese mismo sentimiento, de golpe,

el asco de la justicia, saber que nada es justo cuando hay más de dos.

—No lo lamentes —repitió Andrés—. Sobre todo no lo lamentes.

—Dejáme por lo menos que lo haga por mí —dijo Clara.

—No te lo puedo impedir —dijo él—. Que sientas eso es más de lo que pude desear cuando —

—Ahora por lo menos sabés que lo siento así —dijo Clara—. Nunca dije más la verdad que ahora.

Estaban junto a la puerta, envueltos por el griterío y la visión de ropas y movimientos.

—Te agradezco —dijo Andrés—. Pero no te rindas a la bondad. Mirá, tener lástima cuando no se ha hecho mal,

esa flojera horrible   como condenarse, sabés

perder el derecho de elegir cada mañana tu traje y tu silbido y tu libro para leer,

no, nunca eso. Los ojos están delante de la cara, mi querida, y no es culpa tuya si soy un poco tu sombra, tu eco,

si el barco no puede andar sin hender   fijáte qué bonito

—Sos bueno —dijo Clara, y le sonrió.

—Y otra cosa —dijo Andrés—. Yo creo que realmente era una rata.

Los bedeles doblaron las planillas y uno se fue al decanato llevándolas como si

pero todos sabían de sobra que el decanato estaba

—Increíble cómo prolifera la cultura —dijo el cronista haciendo sitio para que una de las gemelas descansara en el banco—. Ya somos más de treinta.

—Y qué *spuzza* —dijo la pelirroja.   (Se apagaron las
luces
Se encendieron)

—Las nueve menos cuarto —dijo Juan como si fuera muy importante, y perdiéndose otra vez en su cuaderno.

—El estro lo domina —dijo el cronista—. Ay, Andrés, yo realmente debería irme a la redacción. No creo que sea demasiado difícil llegar con

Se oía una serie de explosiones hacia el oeste,

algodonosas y bajas, curioso que el ruido llegara como por la tierra, del mismo modo que la rata un poco antes cuando

—Ya que estás quedate y acompañáme mientras estos dan su famoso examen —dijo Andrés.

—Los van a aplazar —dijo el cronista—. Fijáte cómo no estudian. En cambio ahí tenés al joven Migueletti fagocitando copias mimeografiadas

me meo grafiadas

(A oscuras. La pelirroja olía a jabón de pino, a fósforos.)

—Fiat lux de tocador —le dijo el cronista, oliéndole el cuello—. Compañera, tiene usted la piel fragantísima. No se separe de mí mientras el aire nos siga trayendo el mefitismo.

—El mefi qué —dijo la pelirroja, como si no le gustara preguntar.

—El manfutismo —dijo Andrés—. Eso es lo que trae el aire. Pero Clara solía andar con colonia en ese bolso tan pituco.

—Aprovechadores —dijo Clara, buscando el frasco. "Sí, era una rata", pensó. "Bajaba arrastrándose, ahora andará por el subsuelo y ahí hay gente, los oí —"

Estaban amontonados, no pudiendo alejarse del decanato

pero todos sabían que el decanato

y sólo las mellizas se fueron a la galería a repasar los apuntes, buscando los sitios con algo de luz.

—Buena colonia —decía el cronista, rociándose el pelo—. Verdadera mirra de Arabia.

La luz volvía poco a poco. Juan se metió el cuaderno en el bolsillo del saco y señaló la puerta del decanato.

—Ahí va —dijo—. Se larga.

Salieron los bedeles y entre ellos un individuo bajo y moreno, con las manos a la espalda (devanaba el aire con los pulgares) como protegiéndose entre los bedeles

que pasaron con altisonantes "¡permiso!" y el joven Migueletti saludando al profesor y el profesor no saludando al joven Migueletti hasta que los tres llegaron a la galería y cerraron de un golpe la puerta.

—El menudo sicofante debe andar en los proemios de la integración de la mesa —dijo Juan—. No puede tardar más.

—Cómo mata la espera —dijo Stella, sacándose una pelusa de la boca—. Me parece que me quedé dormida. Qué banco tan duro.

—Pobre —dijo Andrés, acariciándola—. Realmente no tenías por qué haber venido.

—¿Por qué no? Si vos venías, yo también.

La miró sonriendo, sin decirle nada. Crujió la puerta y reaparecieron los bedeles, que miraron de costado al grupo de Juan y se pusieron a llenar unos talonarios. Para llenar cada talonario consultaban distintas libretas con tapas de hule, la guía telefónica y un libro de tapas azules con un escudo dorado a fuego. Uno de los empleados que había descolgado los cuadros de la galería vino a decirles algo, y el bedel más gordo hizo gestos de ignorancia e involucró con un redondo mariposeo de la mano a todos los estudiantes.

—Ahí viene de nuevo el prof —dijo el cronista—. Qué manera curiosa de deslizarse que tiene el

cómo le llamaste, Juan? Ah, el menudo sicofante. Che, pero el tipo está verde.

—Verde nilo —dijo Clara—. Este ha visto un fantasma.

"La rata", pensó. "Se ha encontrado con la rata." Lo vieron rebasar el grupo de estudiantes (se jugaba a los naipes en un ángulo, usando una carpeta como tapete) y entrar en el decanato. Estaba a oscuras y el profesor retrocedió, gritando a los bedeles que encendieran. El más gordo ni levantó los ojos, pero el otro fue hasta la puerta con un gesto de ira, entró seguido del profesor.

—Y nada, no le funciona el voltaje —dijo Juan. Se quitó el saco, metiéndolo entre dos barrotes de la escalera, se arremangó. Estaba empapado, y Clara se puso a rociarlo con colonia. Otros estudiantes imitaron a Juan y el cronista hizo notar a la pelirroja que ganaría en comodidad si se quitaba la blusa, señalándole, en caso contrario, los peligros de la combustión espontánea. Después le habló de los híbridos psíquicos, despertando de inmediato su interés. Nadie vio salir al profesor del decanato, de pronto estuvo al lado de la mesa de los bedeles, escoltado por el bedel menos gordo que traía montones de rollos de cartulina. Para que no se le cayeran los había metido en una papelera de alambre tejido.

—Parece un ramo de calas —dijo Andrés a Clara—. Mirá qué brillante simplificación de formas. Percatáte de cómo la burocracia imita al arte.

—Sumamente logrado, gran entonación y elegante juego plástico —dijo Clara, mirando a Andrés con

sí, era gratitud, voluntad de alcanzarle un afecto, de estar cerca pero tan lejana en su fatiga, entornada y vencida

—No uses ese vocabulario —le dijo Juan—. A menos que estés hablando para *La Voz del Bedel*, que así debería llamarse la revista de esta Facultad. ¿Pero qué pasa, che? —gritó, encaramándose al banco.

Los bedeles repararon en Juan (rabiosos) pero el profesor siguió dando instrucciones en voz baja, mirando temeroso hacia la galería donde la luz acababa de apagarse definitivamente. Una de las mellizas se había sentado en el suelo, a los pies del cronista, y la otra le pidió a Clara el frasco de colonia. "Esta se desmaya", pensó el cronista. "Como no empiecen a vomitar." Le habló en voz baja a Andrés, que se puso a empujar a los estudiantes más próximos, y éstos a los de la periferia

si en realidad se podía hablar de periferia en una masa donde la superficie de la mesa marcaba como un pozo, un accidente desagradable en la configuración general de

para que la chica descompuesta tuviese algo más de aire.

—No, no va a vomitar —le dijo Andrés al cronista—. ¿Tanto te preocupa?

—Che, el vómito es una cosa que no puedo soportar en los demás.

—Supongo —dijo Andrés— que la causa está en que es una reversión. Al vómito se asocia la culpa luciferina, la titanomaquia. Fijáte que la mitología de la rebelión es un vómito cósmico. Cuando vomitamos lo comido cumplimos un acto orgánico que coincide oscuramente con la más secreta ambición humana, la de decirle a la naturaleza que se vaya al cuerno con su asado de tira y su lechuga.

—Sos grande —dijo el cronista.

—Te voy a confiar un gran secreto —dijo Andrés—. El pecado no fue que Eva comiera la manzana; el pecado fue que la vomitó.

—¡Bájese del banco! —gritó el bedel más gordo a Juan.

—No me da la gana —dijo Juan—. Che Andrés, vos te das cuenta estos tipos.

—Vos campaneá lo que se oye en la calle —dijo el cronista forzando la voz porque todos los estudiantes estaban excitados y pululaban y se movían y el aire fofo escamoteó las palabras

aunque a lo que el cronista aludía era una sirena de ambulancia (o carro de incendio) seguida de pitadas estridentes hacia el lado del bajo

—Bah, eso es la circunstancia —dijo Juan—. Son los bárbaros que entran. Y, claro, las luces se apagan. *Blackout!*

Nadie se movió, pero en la oscuridad el calor era más espeso y todos notaron (y anotaron) que se olía con más intensidad el rezumar del aire. La melliza se quejaba débilmente en el suelo. En la sombra su cabeza pesaba enormemente en la mano de Clara, arrodillada a su lado y sosteniendo un pañuelo con Colonia. El rumoreo crecía, gritos, medio en broma pero cada vez más fuertes. Un chicotazo, una queja

la reputa madre que te parió, cornudo

Pibe, el que te pisó fue otro   Un fósforo

la risa llena de cosquillas de la pelirroja cuando el cronista le anduvo por la blusa y le besó la nuca, apretándola contra él y sintiendo subir la vaharada de olor caliente de su pelo, de su piel

fósforos
los peregrinos de Emmaús

¡Drácula! No jodan, che, que hay mujeres.

La melliza del suelo lloraba. Andrés temió que en el revuelo la pisotearan y se plantó delante, con los brazos tendidos. La risa de Juan venía de arriba, y cuando alguien encendió un fósforo lo vieron encaramado en la mitad de la escalera, con el pelo revuelto y la camisa abierta. El decanato se iluminó de golpe, lejos golpeaban una puerta, tres, cuatro veces. La luz se reflejó débilmente en el grupo más próximo, dejando entrever la mesa de los bedeles, los rollos de cartulina en la papelera. Llamaba el teléfono en el decanato y el bedel más gordo pasó entre gritos y maldiciones. Cuando calló el teléfono se hizo un gran silencio, pero al unísono se oyó llorar a la melliza en el suelo y una carcajada de Juan en la escalera. La voz del bedel llegaba ahogada pero llegaba

Sí Señor
hola Sí Señor
no Señor
creo que sí Señor
me parece
hola
es un suponer Señor
entonces
como usted diga Señor
sí Señor

—*¡La voz del bedel!* —gritó Juan como un pájaro. Una rayita naranja se marcó en lo alto, creció, se detuvo, oscilante,

la luz

—Me siento mejor —dijo la melliza—. Me hizo bien la Colonia, gracias.

La luz

ahora mismo Señor

la luz entre la niebla no era humo el vapor de los cuerpos pero consistente —Es humo —dijo el cronista, mirando a la pelirroja que se arreglaba y se reía—. El techo está lleno de humo.

Los jugadores echaban otra vez las cartas, se oyeron tres

chicotazos en sucesión y el grito de desafío de uno de ellos, los murmullos de gata contenta de la melliza del suelo que ahora se enderezaba apoyándose en su hermana y en Clara. Nadie esperaba que el bedel volviera tan pronto nadie esperaba al bedel ni el otro bedel, que miró las luces y se rascó la cabeza

—El mar humano —decía Juan desde la barandilla—. Andrés, tu occipucio está ralo. Tenés caspa, cronista. Pero Clara, ah qué hermosa se te ve, cómo te idolampreo!

—Basta —dijo Clara—. Vení a estarte quieto.

—Te incubadoro —dijo Juan a gritos—. ¡Te piramayo! ¡Te florimundio, te reconsidero!

—Es increíble —dijo una de las mellizas—. Las nueve y media. Andá a hablarle a mamá, Coca.

—¿De dónde? Con el vigilante en la puerta, y después la calle, yo...

—Bueno, voy yo.

—No. Vamos juntas.

—Bueno.

"Con diálogos así se escriben libros notables", pensó el cronista mirando a Juan que bajaba, parándose en cada escalón para estudiar la escena, con todo el aire del que juega a no ver lo que está viendo. Y el bedel de vuelta, murmurando agitadamente cosas en la oreja del otro. Pocos se afligieron cuando una chica delgada, con grandes ojos de ardilla, se desmayó de golpe al lado de la mesa y pegó con una mano entre las planillas, arrastrándolas en su caída. Llegar hasta ahí, ese medio metro de sudor y rabia, tarea inútil; Clara se sentó en el banco, al lado de Andrés que estaba como dormido.

—Todos tenemos sueño —dijo Clara—. Esto es...

—Y el humo. Mirá el suelo, ese pedazo debajo de la mesa.

—No lo veo —dijo Clara—. Imposible verlo.

Stella sonrió, contenta. La casualidad le había tendido un claro por entre pantalones y faldas; veía muy bien el pedazo de piso debajo de la mesa. Realmente lo veía muy bien.

—Mirá, se la llevan al decanato —informó Juan—. Es injusto, en ese sitio puede pasar del desmayo al síncope. Bueno, Clarita, creo que la cosa se acaba. Mirá bien

y le mostraba la mesa con un dedo que temblaba y que varios siguieron con la vista, hasta Andrés que abría los ojos volviendo de un vertiginoso andar. "La cercanía", pensó, "la tan ansiada". Miraba el perfil de Clara, su hombro liviano. "Ahora inventar necesariamente la distancia, esa materia nauseabunda..."

—¡Che, es increíble!

—¡Es una cachada!

"Todo sigue", pensó Andrés, casi sorprendido. "Esa mano estuvo en la mía, con un gesto que se viene repitiendo desde —"

—¡Están locos, che, esto es un quilombo!

—¿Y qué te interesa? ¡Agarrá que hay pa todos!

"— agua pura. Curioso, la belleza que amamos está en el reverso de los triunfos. Esto es tan hermoso. Morir así, concluido. Buscar la muerte porque no se tiene nada parece tan raro... Aquel muerto tenía algo, por lo menos se quebró en plena acción, sin desearlo..."

El cronista se reía tanto que Andrés lo miró, y hasta Juan dejó de señalar la mesa para observarlo. "Está loco", pensó. "Vive de mañana." Y el cronista (que sacaba su risa de lo que estaba viendo en la mesa) y la pelirroja con los brazos tendidos, manoteando para alcanzar uno de los rollos que los bedeles repartían,

—¡Dejáme de embromar, esto no puede ser!

y el estudiante Migueletti ya tenía el suyo, ahora la pelirroja consiguió su rollo y se puso a abrirlo, teniéndolo en alto

"Es mejor estar aquí", pensaba Andrés. "Quién sabe cómo acabaremos la noche. Volver es siempre refugiarse en los huecos sabidos. Tal vez nos esperan espacios nuevos ahí afuera —" El estallido de risa de Juan lo hizo pararse. Espacios nuevos. Eso era un espacio nuevo, un tiempo más: las nueve y media

(¿no lo había dicho una de las
pero ya no estaban pobrecitas se iban a quedar sin diploma)

—Mirá bien, mirá bien —Juan lloraba de risa en la escalera—. ¡Cronista, cronista, esto tenés que contarlo! ¡Esto es por fin la perfección, el séptimo día!

Pero el cronista le tenía el rollo a la pelirroja y le insinuaba una cena en *La Corneta del Cazador.*

Clara miró al bedel que
porque ya había huecos, los estudiantes se iban
y cuando el bedel le alcanzaba el rollo se dio vuelta y se quedó frente a Juan, que la miraba
después de saltar al suelo
y Andrés, que le sonrió, pensando: "Pobres chicos, lo toman bastante mal", porque Clara tenía los ojos llenos de lágrimas, lloraba ya con los ojos abiertos y mirando a Juan, a Andrés, la caja de la escalera, de espaldas al bedel que le alcanzaba su diploma
el espacio para el nombre en blanco pero abajo
tan bonitas tan tinta china
y los sellos rotundos
y el aire de estallido final de sinfonía que todo buen diploma ostenta

UNIVERSIDAD DE BUENOS AIRES

Por cuanto
y aquí pagarle diez pesos a una maestra con buena letra inglesa

Por cuanto ("Me agarro uno", pensó el cronista, retorciéndose. "Me lo cuelgo en el escritorio, me lo llevo a la redacción —")

Juan apretó contra él a Clara. Por sobre el hombro de su mujer miró a los bedeles completando su labor, apurándose porque la luz volvía a bajar. Se oía un crujido delicado, una sustancia quebradiza separándose poco a poco de otra. Una de las planchas inferiores de la mesa se estaba despegando, enchapada de cedro a prueba de. Pero esta humedad era mayor que la prevista cuando — Crujido finísimo, un diálogo de insectos secos y ágiles discutiendo en un punto del espacio. Juan veía mal (y lo irritaba ver mal, y se pasó el dorso de la mano por los ojos como un chico) pero oía claramente el debate diminuto en el despegamiento de la mesa. Aceptaron (y Clara seguía llorando) que Andrés se pusiera entre ambos y los agarrara del brazo para llevárselos, con Stella detrás preguntando por qué no esperaban su turno, el cronista alabándole el peinado y lo fresca que estaba, una verdadera rosa a esa tardía hora del crepúsculo nocturno. La puerta del decanato estaba abierta, la luz encendida. Se veían muy bien los muebles, una perchera, un paragüero, el retrato de San Martín; y el vigilante de la entrada era ahora el vigilante de la salida

relatividad de las cosas

y no les impidió salir, al contrario, pero estaba como asombrado y les miraba las manos, los bolsillos, verdaderamente un poco asombrado de verlos irse así con las manos vacías.

VII

—Qué te pasa, cara' e torta,
pico largo y nariz corta!

Era un chico pecoso, gritando irritado. El otro chico estaba más allá, cerca de la librería *Letras*. Gritó a su vez algo que no le entendieron.

—¡Pico largo y nariz corta!

A mitad de la escalinata, Andrés miró hacia el lado del río. Era raro que las casas no dejaran ver el río; confusamente recordaba una imagen donde ya no había obstáculos entre la ciudad en descenso y la orilla. La niebla ahogaba el farol de Viamonte y Reconquista cuando anduvieron en silencio camino del bajo, sin razón para alejarse, solamente seguros de que ya no tenía sentido permanecer allí. Del centro bajaba una niebla más espesa, mezclada con algo que olía a ropa quemada. Stella gritó cuando pasaban bajo el farol y un cascarudo le cayó en el cuello, pinchándola con patitas aguzadas. Juan se lo quitó y lo estuvo mirando, mientras el cascarudo remaba tontamente en el aire; después lo soltó, con un envión suave del brazo. Nadie hablaba pero Andrés oyó (sin querer mirar) el llanto ahogado de Clara, que luchaba por contenerse.

—Mirá —dijo Juan, y señaló el cartelito colgado bajo el cable del tranvía. No era fácil leerlo, Andrés hizo pantalla con las manos.

INICIE Y BAJE DESPACIO
LA PENDIENTE

—Uno no sabe —dijo Juan— si es una prevención o un estímulo.

—No está mal —dijo Andrés—. Pero yo tengo hambre.

—Yo también —dijo Clara, sonándose a lo chiquilina—. Me comería al cronista, me comería a Andrés...

—La mantis religiosa —dijo Juan—. ¿Te gusta el almacén-bar *Suizo*?

—No. Yo aspiro a comer en lugares elegantes donde hay una servilleta para cada uno, como dice César Bruto. —Se agarró del brazo de Andrés que la dejó apoyarse, parado en la esquina.— En realidad lo que tengo es sed. Ahí adentro... Pero vos comprendés que eso ——

—No, no lo comprendo, solamente lo compruebo —dijo Andrés—. Pobres chicos, no se lo merecían.

—Quién sabe, che —dijo Juan, empujándolos para que

INICIE Y BAJE DESPACIO

—Eso —dijo el cronista, suspirando—. Y con este calor,

oí los truenos allá en el sur   si son truenos

—Ya los analizarán en tu laboratorio —dijo Juan—. Realmente no estoy seguro de no merecerme esto. Llegamos tarde a la boda y la torta estaba podrida

—Yo sabía el programa —murmuró puerilmente Clara.

—Si no se trata de eso, vieja. Vos comprendés de sobra que no se trata de un saber. Mirá, vámonos todos al *First and Last* y chupamos hasta la caída del día, como diría un poeta que conozco. Pero mirá eso, Andrés,

Del bar de la esquina salía

con la vieja costumbre del cuello levantado (¿contra qué? la niebla?)

Y las explosiones, lejos ——

agobiado, como sucio   Luces rápidas, autos en Leandro Alem.

—El profesor —murmuró Andrés—. Qué carajo estaba haciendo en ese café cuando ustedes... Mejor que no nos vea.

LA PENDIENTE

—No hay caso —dijo Juan—. Buenas noches, doctor.

—Buenas noches, joven —dijo el doctor, y amplió el saludo hasta Clara con una lenta inclinación de la cabeza. Al sonreír alzaba la mitad de la boca, el resto quedaba como de cartón piedra. Vieron que tenía la cara cubierta de sudor, se secaba las palmas de las manos contra el pantalón.

—Qué noche —dijo, mirando atentamente a Andrés y luego al cronista—. Parece que hubiera cosas en el aire que uno tragara y que —

—Hay pelusas —dijo el cronista—. Y unos honguitos voladores que tenemos estudiados en mi diario.

—¿Honguitos? —dijo el doctor.

—Sí, los trimartinos eutrapelios —dijo el cronista.

—Ah. Los comunicados del gobierno...

—Mire —dijo Andrés, y le señaló el cielo del oeste donde temblaban bandas rojizas, como reflectores entre las nubes—. Eso no está, que yo sepa, en los comunicados del gobierno.

—Es que... —Iba a decir algo más pero se contuvo, y les pareció que se doblaba, se hacía más pequeño. “Sus cursos sobre los hititas”, pensó Clara, mirándolo con odio. “Sus bibliografías de ocho páginas. El muy cobarde...” Entonces el doctor tomó el brazo de Juan, se acercó, reclamando atención.

—He pasado toda la tarde ahí —y señalaba el bar “Suizo”—. Me esperaban a las siete, el decano y... Pero desde mi mesa, ahí, ¿la ven?

se abarca el frente de la Facultad, claro que asomando un poco el cuerpo, y puedo decirles

porque es rigurosamente cierto   “Muerto”, pensó Andrés

que el auto del decano no llegó en toda la tarde. Y cuando fue de noche, y esa niebla

(moviendo la mano como una espátula en el aire, repasando la sustancia amarilla)

entonces me dio tanto miedo de   Ustedes que son jóvenes deben comprender que

Juan lo rechazó suavemente. El doctor quería seguir hablando, hizo señas de que debían escucharlo, pero él tomó a Clara del brazo y caminaron pendiente abajo. Andrés se quedó atrás, con una palabra al cronista para que dejara a Juan y Clara alejarse un poco, a Stella que los seguía.

—Dejálos un momento solos. Están tan desesperados.

—Tenés razón —dijo el cronista—. Pibe, esto —

El doctor los seguía, murmurando y torciéndose las manos. El cronista se dio vuelta y lo miró.

—Vaya a hacerse revisar el metabolismo —le dijo gentilmente.

—Yo... —dijo el doctor, pero se detuvo y la niebla se lo fue comiendo como un ácido.

Se prendieron con ganas a un cigarrillo, parándose a encenderlo frente a una casa de departamentos con jardincito que olía a pasto, a trébol pisado. Era de no creerlo, se metieron en el jardín andando por las lajas húmedas. El cronista cortó una hoja y se la puso en la boca. Fumaba y mordía la hoja. Cuando salieron, Juan les hizo señas desde la esquina.

—Parece un fantasma —dijo el cronista—. Che, esta niebla deforma las imágenes. Primera vez que...

Andrés le tiró un manotón para sacarle un bicho volador que le colgaba del pelo. Miraron hacia Reconquista, pero el doctor se había ido.

—Estará en su mesa del *Suizo* —dijo el cronista— desde donde se abarca el frente de la Facultad. Y el auto del decano, fijáte —

—Basta, por favor —dijo Andrés—. Por lo menos nos acercamos a esas plantas, a esa sombra. No volvás sobre ese vomitado.

—Juan nos está llamando.

—Vamos, ya estarán más tranquilos. ¿Oís ese piano?

—Es un piso alto —murmuró el cronista, husmeando el aire—. Qué bueno que alguien todavía... Un tanguito, che, nada menos que *La Mariposa*.

Alcanzaron a Stella, que los esperaba callada y como soñolienta.

—*No es que yo esté arrepentido*
de haberte querido tanto —cantó el cronista—. El tango,

Andrés, y no los comunicados oficiales. Me animo a escribirte la historia de mil novecientos a hoy con nada más que los tangos.

—Sería divertido —dijo Andrés, que no lo escuchaba.

—*Si para tu bien te fuiste*
para tu bien
te tengo que perdonar   Farmacia "Soria"

—Decidido trasladarnos corporativamente al *First and Last* —dijo Juan, recostado en la vidriera donde Clara miraba perfumes y talcos—. Nada de cenar, che; drogui y especiales de jamón crudo.

—Y después... —dijo Stella, vivamente   ("Después nos vamos a casa.")

—Después nada —la interrumpió Andrés—. Olvidáte de esa palabra por un rato, y mirá los bomberos qué gauchitos.

Oyeron las sirenas, el resto fue un rodar y un color confuso. Cerca del río el calor era todavía más húmedo, y lloviznaba suavemente.

—Vos explicáme cómo puede llover y haber niebla al mismo tiempo —dijo Juan—. ¿El agua pasa a través de la niebla? ¿O sucede en dos espacios distintos?

—Se hace el interesante —dijo Clara, cruzando la calle—. No le den explicaciones. Mejor sería... —Se quedó callada, mirando desde la puerta el interior del café de la esquina. Andrés, que venía detrás, los vio casi al mismo tiempo. El más joven había estado cerca de ellos en el vestíbulo de la Facultad; el otro era uno de los jugadores de cartas, y había discutido bastante con los bedeles. Sentados en una mesa del medio del salón, tenían desplegados los diplomas

y los estaban mirando

con la botella de grapa entre los diplomas y las papas fritas

(un buen ventilador a paletas trabajaba el aire,

les movía los cabellos,   satisfactorio)

Juan se plantó en la puerta y puso las manos como megáfono.

—¡Guachos de mierda!

Andrés y el cronista lo pescaron del brazo y lo hicieron bajar

Inicie y baje despacio

mientras Stella se reía, asustada, y Clara iba adelante fría y muda, como indiferente. Los estudiantes ni se asomaron a la puerta.

—Parece mentira, ñato —se quejaba el cronista—. ¿No te parece bastante lío para encima ponerte a putear en un café como ése? ¿Vos te creés que yo estoy para que me rompan el ánima?

—*Va bene* —dijo Juan—. Vos tenés razón. Todo bien organizado. Para ver piñas, quince pesos *ring-side* y lo pasás estupendo viendo pegarse a otros.

—Che, pibe —decía el cronista quejoso, esperando la opinión de Clara y de Andrés, pero nadie habló cuando salieron a la recova y se dieron de golpe con los tipos que venían corriendo desde Córdoba. Silbatos (desde Córdoba o tal vez más arriba) y uno de los tipos, viniendo por fuera de la recova, en el filo de la calzada, cruzó Viamonte como un látigo y al pasar al lado de Clara le jadeó algo como: "Sálvese si puede", o tal vez: "Salga que muerde", tropezando vaciló, apoyado en un pie, se fue a la carrera y atrás venían otros bultos como arreados por los pitos de los vigilantes. El cronista dio la orden de pegarse a la pared de la recova hasta ver mejor, y se juntaron en la sombra (no había ninguna luz en esa cuadra, el café de la esquina cerrado y el quiosco de cigarrillos) mirando la fuga de los hombres.

—Alguna manifestación —dijo el cronista—. Los están cascando.

—No me parece —dijo Clara—. A esta distancia ya no tendrían por qué disparar en esa forma. Tienen miedo pero no de los cosacos.

—Mirá ésos en la recova, traen a un lastimado —dijo Andrés.

—Y cómo —dijo el cronista, que había visto los brazos del herido colgando por entre las piernas de los portadores que venían callados y muy lentamente al abrigo de la recova, y se detuvieron al lado de ellos obedeciendo a una orden de un hombre alto con campera gris y boina. "Lindo regalo", pensó el cronista cuando le depositaron al herido casi a los pies, entre murmullos desconfiados y discusiones bisbiseadas de si

mejor a Plaza Mayo y ahí se dispersamo

Tan joven acabála, no supiste que se quemó el

ma qué se va a quemar, paviolo

te lo digo yo

—Ponéle mi saco de almohada —dijo un muchacho rubio, que temblaba de (quizá) excitación—. A mí me parece que... —Miró a Andrés, desconfiado, después a Clara. El herido respiraba a grandes boqueos de aire, y sus labios húmedos estaban llenos de pelusas y baba; le habían apoyado la espalda contra la pared y alguien le metió el saco doblado bajo la nuca. Los otros se miraban más entre ellos que al herido. Entonces el herido gritó, un grito seco y corto, casi un ladrido, y alzando una mano se apretó el vientre. En la oscuridad no se podía ver mucho, Andrés notó que las piernas del hombre se perdían por momentos en el vapor amarillo pegado al suelo. Solamente su cabeza, los bucles negros saliendo de la niebla.

—¿Qué pasó? —dijo el cronista a uno que tenía al lado.

—Qué quiere que pase —dijo el otro—. Ibamos al Parque Retiro, y —

—*Siamo fregati* —dijo otro, empujándolo—. *Andiamo via súbito, Enzo.*

—Ma sí, esperá un poco. Total ahora —

Pero Andrés ya había visto el retroceso furtivo, cómo uno a uno se metían en la niebla. El cronista urgió al que estaba a su lado para que le siguiera explicando, y de golpe no lo vio más, había girado en dirección a una columna de la recova, se lo tragó la oscuridad. No quedaban más que el herido y el muchacho rubio que se había quitado el saco. Otros pasaban en grupos, o corriendo aislados por el medio de la calle entre los pocos autos que bajaban de Retiro

y el cronista notó que ya ningún vehículo remontaba la calle. "Pálido rezongo", las palabras le venían mecánicamente. "Pálido rezongo. Pálido." Repetía, pálido, pálido hasta quitarle todo sentido a la palabra, hasta desnudarla de lo accesorio y descubrir su sonido, su forma, pálido, su nada sonora, pálido, el hueco donde habitaba eso otro realmente qué sin color lo contrario de arrebolado negativo de otra cosa que a su vez

—Se está muriendo.

La voz de Andrés. Ladrido, quejido, el tipo de boina perdiéndose en la recova. "La farmacia Soria", Clara?

Camiones

—Che, Carlitos, ¡Carlitos! —decía el rubio, agachado, mirando la cara pasta gris del herido—. ¡Carlitos!

Andrés y Juan se llevaron a Clara al borde de la vereda, y Stella volvió desde la esquina donde se había puesto para no ver, y se agarró del brazo de Andrés.

—Ustedes quédense aquí o sigan abajo —dijo Andrés—. Me cruzo a esa parrilla y telefoneo a la Asistencia.

—Voy con vos y traigo agua —dijo el cronista. Pálido rezongo.

—Apuráte —dijo Juan—. El tipo lo deja solo.

Cuando cruzaban la calle, el muchacho rubio corrió, subiendo Viamonte, y Clara se tapó la cara gritando algo que no entendieron y volvió junto al herido, aunque Juan quería impedírselo. Stella la tenía de un brazo, y se vio arrastrada a la sombra con Clara y Juan, junto al hombre ya ladeado en el suelo, ya silencioso.

—¡Pero no ves que le quitó otra vez el saco! —gritaba Clara—. ¡Le quitó —!

—Esperá —dijo Juan, deteniéndola—. Dejáme a mí.

Pero ella gemía, debatiéndose, y se agachó hasta quedar con la cara al nivel de la del herido. Con un grito se enderezó, se echó atrás. Stella huía sin comprender, buscando la mayor claridad de la esquina. Juan palmeó a Clara con fuerza, sacudiéndole los hombros, y se agachó a su vez en la oscuridad. El cronista venía corriendo con un vaso de agua.

—Los teléfonos no andan —dijo—. Tomá, dale que...

—Está muerto —dijo Juan—. Te aconsejo que no lo mirés. Dale el agua a Clara. Sí, a Clara, ñato.

—Bueno —dijo el cronista—. Tome, Clara. —Y agregó el polvo mágico:— Esto le va a hacer bien.

Llevando a las mujeres del brazo alcanzaron a Andrés en la vereda de la parrilla, y cruzaron Leandro Alem sin ver más que dos autos y unas pocas gentes en los refugios. Andrés les dijo que la parrilla no funcionaba y que habían querido saquearla al anochecer. El dueño, un guapo de Colt en la mano, esperaba novedades chupando barbera y comiendo codeguín. Tipo macunado. El teléfono muerto.

—Y yo qué hago con este vaso —dijo el cronista cuando Clara se lo pasó. Quedaban unas gotas, las bebió despacio, mirando por el fondo un cielo rojizo y bajo. Vio un avión a la altura del Correo, alejándose pesadamente.

—Quién se irá ahí —murmuró Juan—. Los aviones son un robo, siempre. Apoyáte mejor, vieja, así. —Clara cedía, andaba como dormida, y Andrés vino por el otro lado y lo ayudó a sostenerla, mirando al cronista para que se ocupara de Stella que espiaba hacia atrás, muerta de miedo.

—Yo realmente no entiendo —dijo Stella. El cronista se encogió de hombros, y cuando tomaron por la angosta vereda de tablones junto a la empalizada de las obras sobre la manzana de la izquierda, puso delicadamente el vaso en el suelo, contra los tablones.

Con todo ese whisky con toda esa grapa con toda esa caña *First and Last*, galponcito trompa al viento, espoleado de río, sucio de nada, de no pasar nada, sucio de hueco, de licores cayendo en las bocas ajenas.

First and Last: todo lo que ocurre le ocurre a otros
parroquianos (pero aquí se dice *clientes*)
de manera que galponcito sin razón, local de hombres del río, que no le dejan ni la sed, lo usan y se nota
y se van

—Moral de las tabernas —dijo Andrés estirando las piernas—. En su vacío está mi pleno, y viceversa.

—Oscuro cual el ábrego —dijo el cronista—. Definición aplicable a la ruleta, a los cines, a objetos varios.

—A nosotros —dijo Juan, secándose la cara—. Chupadores de vida ajena para activar la nuestra. ¿Hablo con vos? No, no hablo con vos. Te quito un hablar y me lo guardo. Te quito esa sonrisa, esa mirada.

—Le quitó el saco —dijo Clara, suspirando—. Perdónenme, estoy bastante cansada. Uno no debería...

"Quitar", pensó Andrés. Veía otra vez el *Ateneo*, el par de anteojos balanceándose en la mano del vendedor. "Sí, menos lo que uno quisiera perder. Eso, a remache." Sonrió, burlándose. Sentimental.

—Hablando de quitarse el saco —decía el cronista, y fue a traer una silla donde colgar el suyo. Andrés y Juan lo imitaron con ese alivio del cansancio que da toda alteración de la vestimenta. Porque, como dijo Juan, la ropa forma ya parte de la psiquis y siente por su cuenta y cuanto antes la colgués más te vale. Les traían botellas de cerveza

no está demasiado helada porque —
(algo sobre la electricidad)

y grandes sándwiches de salame y jamón crudo. Se habían ubicado a la derecha, contra la pared, bastante solos como si la penumbra ahuyentase a la clientela. Un muchacho achinado los miraba desde el mostrador, a veces daba vuelta la cabeza para ver la hora en un viejo reloj de pared entre la lista de precios y un extractor de aire (que no andaba).

—Aquí —dijo el cronista— vine con una chica la noche que murió Roosevelt. Como lloraba muchísimo le hice ahogar las penas con grapa catamarqueña. Creo que me guardó un poco de rencor.

—Aquí hemos venido tantas veces —dijo Clara—. Tan lejos del centro y a dos pasos; nos gustaba por eso. Andrés, acordáte aquella noche de la huelga.

—Pobre Juan —dijo Andrés—. Qué piña le habían pegado.

—¿Y vos? Te costó un traje nuevo. Beba, Stella, por favor. No se me queden así deprimidas.

—Miro a ese señor —dijo Stella, apuntando tímida a un cliente sentado a una mesa del centro, debajo de uno de los ventiladores a paletas (que no andaba), sudando, igual al ex presidente Agustín P. Justo pero con un ojo inflamado, rojo, y un toscano en la boca. Otros cuatro toscanos le asomaban como una estacada del bolsillo del pañuelo (sin pañuelo).

—El equipo completo —dijo Juan—. Mirále el anillo, tipo trimotor. Anteojos y pelado, corbata negra. Perfecto. Ahora se levantará y vendrá a vendernos un corte de casimir.

—Pero toma café —dijo el cronista—. Es un escándalo, che, porque lo que el tipo tendría que tomar es hesperidina. ¡Mozo!

—Mande —dijo el mozo, mirando la puerta por donde entraban tres tipos corriendo. Uno se dio vuelta y miró a la calle, los otros se orientaban dentro, como deslumbrados, hasta elegir una mesa en un rincón. El tercero hizo un ademán en el aire, y fue a reunírseles; tenía la cara llena de tiznes, y el pelo pegado en las sienes sudor brillantina

—Más sándwiches —dijo el cronista—. Y esos ventiladores...

—No andan —dijo el mozo—. ¿Más sándwiches? No sé si queda jamón, voy a ver. Pucha digo, otros más.

Entraban dos parejas.

—¿Y qué más quieren? —dijo el cronista—. Salvo que anden con ganas de mandarse mudar. Beba, Clara, usted está más blanca que Grock.

—Soy una idiota —dijo Clara—. Animula vagula blandula. Pero fue tan —

—Está bien —dijo Juan, sonriéndole—. Todo esto es ligeramente inmundo, y vos te has portado muy bien. Si a veces no aflojaras un poco... Mirá esa niña de la blusa amarilla, qué jabón se trae. Che, el tipo la está amenazando.

—Claro —dijo Andrés—. Histeria, palabra helénica. ¿No sería bueno que vos te llevaras a Clara de aquí? De Buenos Aires, quiero decir.

—Sistema Pincho —dijo Juan, amargo—. ¿Para qué? Esto no puede durar más de —. —Hizo un gesto pueril, se quedó mirando al fumador del toscano. Un buen llanto a solas. Un buen llanto con la cara debajo de las sábanas. Una ducha, un — Veía al tipo de la mesa en el pequeño compartimento lateral, su rodilla buscando la de la mujer. La mujer se reía como una rata. "También tiene miedo", pensó Juan, y exploró en los ojos de Andrés algo que lo sorprendía. Después pensó absurdamente que le hubiera gustado tener la coliflor. No hablaron por un rato, pero oír las explosiones distantes era casi peor. Y el halo de bruma en las lamparillas, el extractor de aire parado, el retrato del Presidente al lado de la lista de los precios, Old Smuggler, caña Ombú, Amaro Pagliotti.

—Es increíble —dijo de golpe el cronista—. ¿Vos ves al tipo del toscano? Está como si nada. Yo tendría que hacerle una nota.

—Hacéla —dijo Juan—. Así te divertís. Contrastando con la sensación de intranquilidad ocasionada por elementos perturbadores

porque ése debe ser tu estilo

nos complacemos en dar a conocer a nuestros lectores el perfil del hombre sensato, que en su mesita del *First and Last*...

—Joder —dijo el cronista—. Si mis notas fueran así, ya sería famoso.

—Perseverá —dijo Juan—. Acordate de Bernardo Palissy.

Stella se agitó al oír el nombre, pero no dijo nada

Tesoro de la Juventud

esperando quizá que Juan siguiera. Pero Juan miraba a Clara que comía aplicadamente su sándwich, y se puso a imitarla, juntando su cabeza con la de ella, y masticando a la par, haciendo sonreír a Andrés que los miraba.

—Vos sabrás —dijo Andrés, como no dándole importancia—. Pero los dos se debían ir de aquí.

—¿Por qué precisamente nosotros? —dijo Clara—. ¿Y qué se gana con irse? Decíle tu hermoso *cachet* ontológico, Juan. Irse, quedarse...

—Oí —dijo Juan—. *Irse, quedarse,*
juego del ser.
Apenas es
—después— el antes.

—Yo te hablo del mapa, no del alma —murmuró Andrés—. No me vengás con trucos isabelinos.

—El mapa —repitió Juan—. Ya no hay más mapas, querido.

"Y sin embargo sabíamos los temas ——" Lo pensó doblando la cabeza, concentrándose en la visión del pan y las lengüitas de jamón crudo que colgaban entre sus dedos. Esa cara... Le arrancó el saco, el mismo que se lo había puesto como apoyo —— Trataba de tragar, hizo un ademán para alcanzar su vaso; tal vez mezclando el bocado con cerveza — Pero el gusto era horrible, curioso que si primero sándwich y después cerveza y después sándwich, todo tan pasable. Pero (como abrasarse con una cucharada de guiso, y beber vino para disimular; la mezcla en la boca, un asco que ——)

Juan le echó el pelo atrás, soplándole en la frente. Le sonreía.

—Sana sana culito de rana —dijo—. Si no sana hoy sanará mañana.

Clara dejó el sándwich en el plato y puso la cara en el pecho de Juan, que la envolvió con un brazo, sustrayéndola a lo de fuera.

—Vení a tomar aire —dijo Andrés al cronista—. Vos quedáte, Stella.

Afuera quedaba un poco de luz que parecía bajar de lo alto. El puerto se perdía en la niebla, de donde iba saliendo gente; cruzaban camino de la recova o se juntaban en la esquina (había un grupo hablando en voz baja). Un hombre, del lado que llevaba a la plaza por Bouchard, encendía con parsimonia un cigarrillo. El cronista lo miró un rato, sin prestar atención. Sobre la cara y las manos se les iba pegando una película de humedad, gomosa. Se sentían sucios.

—Mirá —dijo Andrés—. Hay que sacarlos de algún modo.

—Está bien —dijo el cronista—. Vos decí.

—Decir, decir... Mirá ese bicho.

—Ajá.

Una mariposa buscaba la entrada al bar

—La pobre se hace pedazos y tiene la puerta abierta en las narices. Es increíble cómo las mariposas están siempre al servicio de la filosofía práctica.

—Toda mi simpatía está con la mariposa —dijo el cronista.

—Los dos están emperrados —dijo Andrés—. Yo mismo no sé por qué tengo que convencerlos.

—Claro.

—Al fin y al cabo vos y yo nos vamos a quedar. Y Stella también. ¿Qué nos va a pasar?

—Nada. Aquí no pasa nunca nada.

—Pero ellos es distinto. No sé, me parece.

—Es —dijo el cronista, aplastando un bicho que le corría por el zapato y que reventó con un ruido alegre y seco. Mirando hacia el fondo de la calle (allá en el suelo, contra la empalizada, había dejado el vaso) vio fosforescencias vagas (comidas por la niebla, pero entre jirones amarillos se veían las luces azuladas) en los tablones que servían de vereda.

—Mirá la luz mala —dijo—. Humedad, podrido, el resultado es siempre un azul precioso.

—El cielo es la panza del pasado muerto —dijo la voz de Juan. Vino hasta ellos, que caminaban despacio—. Bellas cosas se dicen esta noche...

Andrés iba a contestarle cuando oyeron dos silbidos, un grito ronco del lado del centro, y a lo lejos por Viamonte creció un resplandor rojizo que tiñó la niebla y el aire hasta donde alcanzaban a ver.

—*Ca chauffe* —dijo el cronista, y silbó suave. El grupo, en la esquina, se disolvía en medio de carreras y frases entrecortadas. Quedaron unos pocos, el tipo que fumaba tranquilo en la esquina de Bouchard y un perro negro y sucio ladrando al aire.

—Dejáme que yo le hable —dijo Andrés al cronista—.

Vení, Juan, caminemos un poco.

—Bueno —dijo Juan, mirando al cronista que se volvía al bar—. Mejor que aquél se quede con las chicas. ¿Oíste unos gritos, recién?

—Mirá allá —dijo Andrés. Desde la esquina se veía el resplandor cada vez más intenso—. Lo curioso es que no parecen incendios.

—La niebla —dijo Juan—. Ya empieza a fastidiar de veras. Cómo disparan esos...

Un camión lleno de gente entraba en la zona del puerto, dio una vuelta en la playa más allá del bar, buscando orientarse, partió hacia el río. Los faros tajeaban la niebla.

—Eso —dijo Andrés— es exactamente lo que tenés que hacer vos ahora.

—Che, otra vez...

—Claro que otra vez. Llevátela ahora, sin pensar más.

—Ponés lindas condiciones —dijo Juan—. Sin pensar más. Justo justo.

—Por favor —dijo Andrés—. Si todo se va a quedar en las palabras...

—Está bien, perdoná. De la intención no dudo. Pero es absurdo. Muy fácil hablar de irme con ella, pero primero no veo por qué —

—Si algo se ve es eso —dijo Andrés—. No hagás una cuestión de amor propio.

—Pero vos te vas a quedar —dijo Juan, parándose.

—Qué sé yo. La llevaré a Stella a lo de la madre, en Caseros. No te creas que me voy a quedar clavado en el centro.

—Caseros —dijo Juan—. Personalmente no me parece que ya nadie pueda llegar a Caseros.

Andrés se encogió de hombros. No se le había ocurrido pensar en él, en lo que haría. Tenía una decisión en suspenso, algo que hacer cuando le diera la gana de hacerlo, todo decidido pero libre. Había mentido al voleo, apurado por la acusación amistosa de Juan que lo miraba esperando.

—Puede ser —dijo Andrés—. Pero yo te pido que te vayas con ella ahora. Te lo pido.

—¿Por qué? —dijo Juan, con una petulancia menuda, de chico enfermo.

—No tengo razones, tengo miedo. Clara — vos ves cómo está.

—También, con el programita que nos hemos mandado.

—Llevátela en seguida —dijo Andrés.

Como Stella tenía hambre, le pidieron otro sándwich.

—Por favor, comélo en seguida y vámonos —dijo Clara—. ¿Usted no siente que esto arde?

—Las chapas de cinc —dijo el cronista—. Pero a esta hora ya debería estar aflojando la canícula. Bueno, esto comienza a ponerse concurrido. Qué caras, Dios mío. No me extrañaría

(y en ese momento pensó, sorprendido, en la espalda del hombre que había visto afuera encendiendo el cigarrillo)

que entraba ese famoso profesor de ustedes.

—No creo —dijo Clara—. Ya estará medio podrido en su mesa del *Suizo.*

—Esperando el auto del decano —dijo Stella, y el cronista la felicitó con entusiasmo, la ayudó a librarse de la mariposa gigante que se empeñaba en andarle por la cara. De los que entraban había algunos en camisa, la mayoría marineros. Uno ya estaba borracho, se fue a una mesa

Sometimes I wonder why I spend
a lonely night
dreaming of a song —

—Bella voz —decía el cronista, en su quinto vaso de cerveza—. Realmente canta lo que bebe. ¿Decía, m'hijo?

Un hombre flaco, con un saco de piyama azul, se inclinó sobre él.

—Disculpen —dijo, mirando a todos lados—. Sería cosa de unos cien pesos.

—¿Ah, sí? —dijo el cronista—. Muy barato.

—Ahora es fácil porque es de noche —dijo el hombre—.

El río está muy retirado. Chupado completamente.

—Ah.

—La cosa es llegar al canal. Yo conozco el camino, vea,

("ahora va a decir: como la palma de la mano", pensó Clara)

como la palma de la mano. La cosa es llegar al canal.

—Por cien pesos —dijo el cronista, que empezaba a entender.

—Para cuatro. Ahora mismo.

—Ché, Calimano —llamó una voz del fondo—. Vení pacá.

—Ya voy —dijo Calimano—. ¿Y, qué le parece?

—Lo que yo quiero saber —dijo el cronista— es si usted me vio cara de prófugo.

Calimano sonreía, y se quedó esperando aunque del fondo volvían a llamar.

—Bueno, yo estoy ahí —dijo por fin—. Usté pienseló y me chifulea.

—Le chifuleo —dijo el cronista, abriendo otra botella—. Está caliente esta cerveza. Beban chicas.

—No, no quiero. —Clara vio que Calimano, desde su mesa del fondo, los miraba esperando.

("Pero es que yo lo conozco", se dijo el cronista. "Cuando encendió el cigarrillo —— pero claro...")

y a veces se torcía para hablar con otros dos, entre tragos de

—posible, por la forma de la botella y los vasos— semillón.

—Bueno —dijo el cronista, sirviéndose cerveza—. Esto se repite más que el tema del cuerno de Sigfrido. Eh, Juan, oí un poco.

—Bebé y dejáme en paz —dijo Juan ganando su silla sin mirar a Clara, que alzó los ojos y se quedó observando el rostro de Andrés, el tic que de pronto le hacía alzar la ceja derecha. Guiño al revés, tan raro. Tenía una película de hollín en el pelo, sobre la frente; Clara sopló y el hollín fue a caer en otra mesa, junto a un plato. Mariposa de carbón, la noche llena —— Le pasó por el recuerdo una frase de la novena sinfonía de Brückner. La palabra ocelote. El dorado ... un poema de Juan: el dorado ocelote.

—Recitáme el marcopolo, Juan —pidió—. Cuando estoy cansada me gusta el marcopolo.

—No quiero. Che, es bueno que nos vayamos.

—¿Adónde? —dijo Andrés—. ¿No viste, calle arriba?

—Recitáme el marcopolo —decía Clara, y Stella hizo de eco: "Recitá el marcopolo".

—Es un chantaje —murmuró Juan, mirando furioso a Andrés—. Vos, y éstas, y el marcopolo, y...

—Y cien pesos —dijo el cronista—. Ese señor de allá se llama Calimano y por cien pesos te ofrece un bote.

—¿Qué decís? —gritó Andrés.

—Justo justo lo que oíste. Es la primera de dos noticias. La otra es más bien una repetición, y no corre prisa. Che, ¡qué nervios!

Pero Andrés cruzaba el bar (y tiró el vaso del cronista al levantarse, por suerte vacío; el cronista lo llenó en seguida)

("yo quisiera oír el marcopolo") Sí, Juan, recitálo

—¿Adónde va aquél?

—Calimano —dijo el cronista—. En el fondo, para vos y Clara sería lo mejor.

—Dale —dijo Juan y buscó otro cigarrillo.

—Yo... —dijo Clara mirando a Andrés inclinado sobre la mesa del fondo, su cuerpo flaco marcándose contra la pared de tablas, arriba el falso telón de varieté (¿pero era falso?) y también la puerta del W.C., la mano señalando la dirección, bruma azulada del humo y la niebla entrando por el agujero del extractor parado. Un individuo vino a la carrera y le dijo algo al muchacho del mostrador. Cuando salía de nuevo, golpeándose contra una silla, el *barman* le gritó: " ¡Esperáte!", lo vio pasar la puerta, y con un salto

("dorado ocelote, realmente")

brincó sobre el mostrador y se fue detrás del otro, corriendo en puntas de pie.

—Quién me traerá más cerveza —se quejó el cronista—. El mozo no debe tener autonomía, aparte de que me parece que se las ha tomado por la puerta del fondo. ¿Pero esto va a quedar abandonado? La que se va a armar cuando se aviven los *marinai*.

Juan le sonrió, más tranquilo. "El verdadero fin de un día", pensó. "Cada noche vemos irse a la gente, nos despedimos de otros, colgamos ropas en los armarios — Todo sin pensar, sin gravedad, total mañana se empieza otra vez. Ahora, esos dos no van a volver. Este bar no se va a abrir mañana para nosotros."

—Queremos el marcopolo —dijo Stella—. Debe ser tan bonito.

—Mandáte el marcopolo —pidió el cronista—. Así rompemos la monotonía que debe ser lo único que falta por romper.

—No me voy a acordar —dijo Juan—. Un poema idiota, escrito para otro tiempo.

—Por eso —dijo Clara, y le puso la cara en el hombro—. Por eso, Juan.

—Bueno, bueno, lo diré —murmuró Juan—. Esto pasó cuando me gustaban las palabras, el caviar poético. Vení, Andrés, agregáte al público. Taillefer cruza otra vez los campos de Hastings, y en vez de la batalla nos regala una albada o un madrigal de albaricoques

¿ves? todo vuelve, las palabras *dont je fus dupe* — Sí, vieja, nos merecemos el marcopolo, y es así que

Marco Polo recuerda:

¡Tu mínimo país inhóspito y violento!
Allí árboles enanos enarbolan su hastío
mientras los topos cavan y cavan el camino
y ardidas musarañas remontan por el cielo.

Si llegué a la frontera de tu evasiva tierra,
cuántas aduanas verdes, cuántos líquidos sellos!
Mis alforjas guardaban medallas y amuletos
para tus aduaneros comedores de menta.

Tu idioma —el de los hombres miradores de nubes—
se alzaba en la barcaza al soplo de la noche,
y el puñal del peligro y el dorado ocelote
y esperarte sin tregua más allá de las cumbres.

Las puertas de obsidiana se curvaban de tiempo
y estabas en el tiempo detrás de la obsidiana!
Con mi nombre —ese glauco gongo de antigua gracia—
tiré sobre las puertas el pergamino abierto.

Trece noches de rojas abluciones —insectos
con patas de cristal, enceguecidas músicas—,
¡Oh, el calor bajo el cielo, las albercas con luna,
y tú más bella nunca por demorada y lejos!

Tus siervos descifraron la ruta de mi nombre,
vi entornarse las puertas para mi solo paso.
Por meses y caminos se perdieron mis rastros:
volvió la caravana con anillos de bronce.

Yo recuerdo y recuerdo la lunada terraza,
la seda que me diste y el tambor de tus noches,
Volvió la caravana con anillos de bronce —
¡Yo tuve una galera con velas de esmeralda!

—Notable —dijo el cronista—. Poema en radiante tecnicolor.

—Cállese —dijo Clara—. Es mío, me gusta, y además viene de otros días. Es como un clip para mí; un anillito para acordarse.

—Realmente suena a otro mundo —dijo Juan—. Total, Clara, tan pocos años...

Corazón calidoscópico,
una tierrita, y ya te cambias!

—Tenía razón —dijo Andrés, inclinándose hacia el cronista que miraba fijamente su vaso—. El tipo me repitió la oferta.

—Sí, pero éstos no quieren irse.

—Claro que no queremos —dijo Juan, pensando extrañamente en el departamento, en el florero con la coliflor, solo en la casa, la coliflor en el departamento solo.

—Pues hacen tan mal —dijo el cronista—. Entre otras cosas porque ahí afuera está el tipo que los anda siguiendo.

—¿Cómo? —dijo Juan, y se enderezó manotón de Andrés vuelta a la silla, Clara una mano agarrándole el saco Abel

—Estáte quieto —dijo Andrés—. Con salir corriendo no veo que vayas a hacer mucho.

—Es raro, pero recién me di cuenta hace un momento —le decía el cronista a Stella—. Es la cerveza caliente

este asco orinado por un orangután de paño lenci, por una mujer llena de falsas esperanzas

esta cerveza que me anda por adentro de la cara.

—Ya se ve que estás bastante hecho —dijo Andrés—. Pero lo viste, ¿no?

—Cigarrillo —dijo el cronista—. Bouchard.

—Dejáme salir un momento —dijo Juan, muy tranquilo—. Nada más que para ver. Vos no sabés lo que me gustaría hablar con Abelito.

—Con el que hay que hablar es con Calimano —dijo Andrés—. Por favor, Clara, por lo menos comprendé vos que ——. Stella soltó un chillido, la mariposa (u otra mariposa) le colgaba del pelo. Un marinero, en el fondo, repitió el chillido, y otro lo imitó. Una de las mujeres que habían entrado un momento antes se dio vuelta veloz, miró la mesa, tenía una mano alzada como para protegerse del grito.

—Un pobre lepidóptero —decía el cronista—. Aquí está, vea qué panza más sedosa.

—Horrible —decía Stella—. Tiene como letras en las alas.

—Propaganda —dijo el cronista—. Slogans asquerosos. Mirá, Johnny, mirá la que se arma. Vámonos de aquí, esto se pone tupido.

Alguien, afuera, debió tirar una piedra que cayó en las chapas del techo con un golpe hueco. En el fondo gritaron, después una risa chillona, cuando un marinero medio borracho

So I dream in vain
but in my heart it always will remain

con los brazos llenos de botellas sacadas confusamente de la estantería detrás del mostrador

my stardust melody *whoopee*

y una (grapa) se le cayó abriéndose en una flor blanca, llenando el aire de un olor dulce tapando el tabaco la niebla

the memory of love refrained

"Para qué más", pensó Andrés, soltándolo. "Hacé tu juego, viejo. Hora de que cada sapo busque su pozo."

—Ya que has decidido dejar en paz mi saco —dijo Juan— no te opondrás a que salga a ver si está Abelito.

—Hay gestos y gestos —dijo Andrés, cansadamente—. Los auténticos y los otros. Tu mejor gesto ahora se llama Calimano.

—Pero no queremos irnos —dijo Clara, mirándolo con dulzura.

—Quedarse es Abel —dijo Andrés—. Ah, chicos, qué sentido tiene que se queden. Esa piedra del techo no era para éste, ni para Stella ni para mí. Se las tiraron a ustedes. —Había tal baraúnda en el local que tuvo que alzar la voz.— Este calor... Mirá tus manos, Clara. Tocáte la cara. Otro aire que éste se precisa para secarte la piel.

—No es que yo quiera quedarme —dijo Clara—. Solamente que no veo por qué tenemos que irnos.

—Vamos los tres afuera —murmuró Andrés—. Puede ser que ahí lo vean.

—¿A Abelito? —dijo Juan, levantándose

—Puede —dijo Andrés—. Quedate con el cronista, Stella, el tipo se está durmiendo.

—Avisá —dijo el cronista, que cabeceaba—. *I am Ozymandias, king of kings.* Lo que traducido... Bueno una columna en cuerpo...

—Muchas columnas —dijo Juan— para Ozymandias. Dormí, cronista, que la gentil Stella vela tu mona.

—Yo —dijo el cronista— no duermo.

Andrés retrocedió, dejando que Clara y Juan se adelantaran. Puso su billetera en manos de Stella, pero luego se la quitó para sacar un par de billetes.

—Mejor que...

Stella lo miraba, apretó la billetera y la puso en el bolso.

—Andá tranquilo —dijo—. Yo me arreglo.

—Puede ser que tarde un rato —dijo Andrés—. Pero esto es mejor que lo haga solo. Si no te sentís a gusto aquí, o ésos te fastidian, dejálo al cronista que duerma y —

—Andá tranquilo —dijo Stella.

—Pero si no, esperáme un rato. —Le rozó la mejilla con el dorso de la mano, se fue a la puerta y desde ahí se dio vuelta y silbó con dos dedos en la boca, para llamar a Calimano. Atrás había un revuelo de sillas, malambo sin música y botellas rotas. Calimano se zafó del montón y vino despacio, pisando con fuerza.

—Quédese aquí —dijo Andrés, y le puso un billete en la mano—. Cuando silbe de nuevo, salga a juntarse con nosotros.

—Usté manda —dijo Calimano—. Dentremientras me enchufo un pineral que es bueno para no sudar.

Juan miró la esquina de Bouchard, entre la niebla y el resplandor creciente era difícil reconocer las siluetas o los edificios. De golpe se daban cuenta de que adentro estaba más fresco que en la calle, que no había esa reverberación, ese vibrar del aire, el olor a goma chamuscada y a pasto húmedo

ni en el suelo ese porque por momentos se sentía

Algunos grupos pasaban sin hablar, respirando fuerte. Casi no había individuos, eran parejas o grupos de cinco o seis que venían por Viamonte abajo hacia el puerto. De golpe alguno se desviaba para meterse en el *First and Last*. Ni huellas de Abel.

—Como dice Paul Gilson —murmuró Juan—,

Abel et Caïn
tout le monde a bel et bien
disparu

—Mirá —murmuró Clara, tomándose de él—. Mirá allá. A pesar de la niebla llamas? (O solamente un reflejo en la atmósfera, de pero buscar explicaciones) y los tablones de la construcción como moviéndose en la bruma, enteramente azules, fosforescentes —

—Bonito —dijo Juan—. Mirá, ahora vienen corriendo.

—Pronto no vendrá ya nadie —dijo Andrés—. Ahí hablan de hundimientos en Leandro Alem, mirá ésos.

Un muchacho sosteniendo a una mujer vestida de rojo, dijo algo de

casi se la traga (y la espalda roja de la mujer como una bandera que llevan a hombros) y de las cañerías rotas también el gas

—Y la ciudad parece así, dormida —recitó Juan—, una pradera nocturnal, florida

por un millón de blancas margaritas.

Escrito a los catorce años en un cuaderno de tapas verdes. Qué me decís, Clarita.

Ella miraba el cielo donde todo transcurría en planos bajos, tocando la tierra. "Al menos un pájaro, una gaviota", pensó. "Y no hay luna esta noche —" Vio que Andrés se alejaba, como dejándolos solos. En la esquina de Bouchard prendió un cigarrillo, el fósforo mostró su perfil inclinado ávidamente sobre las manos juntas.

—*Tout le monde a bel* —dijo Juan—. *A bel et bien disparu.* Qué lejos está el marcopolo, vieja.

—Y el examen —dijo Clara con un hilo de voz—. Mirá allá, eso que crece.

—Sí, y del lado de Córdoba, fijáte.

—Como una música que va buscando su tónica. Aprendé.

—Como un guante que encuentra dedo a dedo su mano. Tomá.

Se abrazaron apretados, confusos, casi la noche.

—Sudo —dijo Juan—. Luego soy. Yo escribía poemas.

—Yo estudiaba y estudiaba —dijo Clara—. Y maté a un hombre que fuma y fuma.

—¿Andrés? —dijo Juan—. ¿Abel?

—Abel está vivo. Abel anda por ahí.

—No sé —dijo Juan—. Yo creo que Abel es como la ciudad, algo que *a bel et bien disparu.* ¿Andrés, entonces?

—Sí —dijo Clara—. Yo lo maté pero no lo sabíamos.

—Matar no es materia de conocimiento. Mirá allá, del lado de la plaza.

—Sí —dijo Clara—. El árbol que crece sobre la lomita, un ombú.

—No podés verlo.

—Pero la luz sube desde ahí. Era un ombú pequeño y alegre. ¿Qué quiere?

—Nada —dijo el hombre que estaba a punto de chocarlos. Giró, vagamente anduvo unos pasos hacia la calle, torció para el lado del *First and Last*, acabó yéndose por el costado. Tenía subido el cuello del saco como si hiciera

—Ahora está más cerca —dijo Juan, mostrando hacia Leandro Alem.

—Sí —dijo Clara—. Yo creo que no falta mucho para

—Y allá, donde cavan los cimientos.

—Sí, también.

—Pobre cronista —dijo Juan—. Cómo dormía.

—Es muy bueno el cronista.

—Pobre. Y Andrés ——

—Pobre Andrés —dijo Clara—. Pobrecito.

Calimano oyó el chiflido, puso su vaso en el mostrador y salió rápido. Como Andrés miraba hacia el centro, le vio la cara alumbrada por un resplandor rojizo. Más atrás, cerca de la esquina, el bulto de Clara y Juan abrazados tenía algo de tronco de árbol podado, de cosa mocha y abatida.

—Listo —dijo Andrés—. Prepárese que nos vamos. —Caminó hasta la esquina, sin apurarse, paladeando un sabor que acababa de nacer en su boca, un tizne tragado con el aire. "Gusto cinerario", pensó. "Las bellísimas palabras, la paloma sobre el arca. El último sonido de la tierra será una palabra —— probablemente un pronombre personal."

—Andando —dijo, haciendo una blanda cuña de su cuerpo, tomándolos del brazo sin que ellos resistieran.

—Vamos —dijo Juan—. Qué más da.

—Cuidado con ese cable —dijo Andrés—. Mi maestra me enseñaba que la electricidad es un fluido pernicioso.

—¿Adónde vamos? —dijo Clara, y su brazo pesaba hacia atrás—. Primero explicáme por qué —

—Simplemente vamos —dijo Andrés—. Es bastante, etcétera.

—A mí no me basta. Estábamos muy bien en el bar, y

—Caminá, vieja —dijo Juan—. No te hagás la Ivich, que ese coche no corre en nuestras pistas.

"Saber ser cruel a tiempo", pensó Andrés. "Me moriré sin haber aprendido la técnica." Silbó a Calimano que se puso a andar delante. Juan se soltó de Andrés y dando la vuelta tomó el otro brazo de Clara. De espaldas al centro, la niebla los enfrentaba como un telón de cine cuando ya han soltado la película pero antes del primer letrero corre una sustancia pulverulenta con rápidas centellas, crepitaciones del espacio. La ancha calle estaba vacía, y la garita de vigilancia de la zona aduanera

Los baldíos a la derecha, con las vías del tren metidas en el pasto (pero Calimano seguía sin mirar a los lados)

—Me acuerdo del escorpión —dijo Clara—. Como ven, no pienso hacer ninguna escena. Comprendo que me arrastran, todo me parece idiota,

y en fin

me acuerdo del escorpión.

—Hablá —dijo Juan, inclinándose para besarla en el pelo—. Hace tanto bien a veces. Acordate del escorpión.

—Del escorpión —dijo Clara—. Alguien decía cosas del escorpión, de su destino. De su destino de ser un escorpión, y cómo era necesario que cumpliera su destino de ser un escorpión.

—Paráfrasis del destino de Judas, que lo es del de Satán —dijo Juan—. Retrocediendo, acabás por ver que hasta Dios... Pero hace tanto calor para

—Me quedo en el escorpión —dijo Clara—. Y yo digo: ¿es necesario, es realmente necesario que el escorpión sepa que es un escorpión?

—Sí —dijo Andrés—. Para que serlo tenga un sentido.

—Pero sólo para él —dijo Juan.

—Bueno, es lo que interesa. El resto, contingencia o causalidad puras.

—Yo lo pregunto —dijo Clara— porque estoy pensando en Abelito y me gustaría saber si es necesario que haga esto que está haciendo.

—No te agités por Abelito —dijo Juan—. A Abelito le gusta que piensen en él, y por ahí se busca la entrada.

"No lo encontré", pensó con una rebeldía súbita, un deseo de pararse, dar la vuelta, volver al centro. Cruzaban la primera playa de maniobras, resbalando en los adoquines. A pesar de la niebla se veían las cosas con suficiente
los edificios de ladrillo a la derecha   Chambergo azul
y los primeros diques, el canal   pero eso puede decirse
del cielo, chambergo
azul de Buenos Aires
Calimano que se había parado y los esperaba

—El río —dijo Calimano— se ha ido por la mierda.

—Ah —dijo Juan—. Entonces...

—Bueno, es cosa de ir a buscarlo, claro que —

—Vamos andando —le cortó Andrés—. Siga adelante nomás.

—Mirá la placita del chocolate —dijo Juan—. ¿Te acordás?

—Sí —dijo Clara—. La fea placita del chocolate.

—Los pesos que me hacías gastar en golosinas.

—Para embellecer la placita, horrible avaro. Ya se sabe que es tan tan fea.

—Tiene un aire de isla saliendo de la niebla —dijo Andrés—. La verdad que nunca comí chocolate en esta placita.

—Ah, te perdiste algo hermoso —dijo Clara.

—Claro que me lo perdí —dijo Andrés, y se maldijo por la sensiblería. "Al borde mismo y no soy capaz de hacer-

me duro. Cada cosa que es Juan, cada palabra Juan,
como si no debiera ser así, como si el escorpión —"
Pasaban bordeando la placita. "Pastito para que caminen, ludión para su mano que juega —"

—Contábamos los buques —murmuró Clara—. Yo sabía todos los nombres.

—No me vayas a llorar —dijo Juan, hosco.

—No, no. Ahí está uno de los bancos...

—Uno de los dos —dijo Juan—. Y los viejos bichos árboles.

—Desde el banco veíamos los buques de ese dique. Me acuerdo del *Duquesa*, del *Toba* — Vos sabías muchos más, pero yo me los acordaba más tiempo.

—Cosa linda mirar los barcos —dijo Juan—. Nos íbamos en todos.

—Barato, pero lindo —dijo Clara—. Era fácil odiar a Buenos Aires cuando al final estaba ahí, como siempre —

—¡Guarda los pies! —gritó Calimano—. ¡El adoquinado!

—Vení, demos la vuelta —dijo Andrés—. Como no pongan un farol rojo aquí...

—Nadie lo va a poner —dijo Juan— porque además nadie lo va a ver. Estamos hablando de la placita como si la viéramos, y no es así.

—Yo la veo —murmuró Clara.

—No, vieja. La recordás.

(Y una luz en el frente giratorio
—¿o en la garita?— azulada)

Después, sin hablar, cruzaron lentamente la segunda explanada que llevaba a la costanera. Calimano iba tanteando los adoquines, asustado por el primer pozo, desconfiando hasta de sus ojos. "Que se acabe", pensaba Andrés, mirando a veces para atrás donde la niebla parecía menos espesa por los sonidos, la lumbre en lo alto, el calor como un frente que los empujaba. "Creo que si ahora estuviera en la escalinata de la Facultad vería el río —" Clara y Juan iban tropezando, sin hablar. Una o dos veces Clara dijo: "Suena a Honegger", pero no se explicó. Y Juan mascullaba versos sueltos, inventaba cosas, se divertía en su pequeño infierno portátil. Del río venía un olor bajo y gomoso, no ya de humedad; como paja podrida, aliento amoniacal mezclado con barro. "Saqué la lengua", pensó Juan. "A ver río saque la lengua

Pero si soy lengua
si esto
mi lengua Ah qué sucia cómo no me agrada
usted río ahora mismo
Pero si vivo en la cama si yo (¿Y *mañana*?)

—Atenti al piato —dijo Calimano—. Me parece que el clú tiene que andar cerca.

—Mirá —dijo Clara, buscando la mano de Andrés—. Ahora resulta que vamos al club.

—La vida es un club —dijo Juan— pero de segunda división. Cuán bello me sale. Andrés...

Pero Andrés, que había hurtado su mano a la presión de Clara, se hizo a un lado para hablar con Calimano. "Ni al uno ni al otro", pensó. "Ya queda poco. Si se me largan a —" Y no sabía más.

—Ahí se ve la garita —gritó Calimano—. Con tal que no me hayan fanado el bote. Mi madre, el río se ha ido por la mierda.

—Esto —dijo Juan— es más bien al revés. O va a ser.

—Apuráte —murmuró Clara—. Por favor vamos rápido. Ahí...

Pero no había nada, Andrés que se tiró atrás con la mano prendida en la pistola no vio más que las luces lejanas, como bengalas entre los barcos. Entonces recordó que en los diques no habían visto ningún barco. La niebla — Pero era más que eso; estaba seguro de que en el puerto no quedaba ningún barco. "Mi pobrecita, el miedo viene", pensó. "Primera vez que dice: Apuráte —" Y su alegría de verlos decididos subía como un árbol — Palabras.

—Pasen pronto —decía Calimano—. Ecco la garita.

Juan descifró las palabras de la entrada, Asociación Argentina de Pesca. Bonitos, bagres, domingos, yates — Todo abierto, desguarnecido, el edificio a oscuras, abajo el limo del lecho, una blanda caricatura del río —— Se dio vuelta, ahora que se había quedado último. Buenos Aires —— Si todavía

—Vení —dijo la voz de Clara—. Vení, Juan, apuráte.

Se juntó con ella, y Andrés bajo la cara para no ofenderlo con su mirada. Casi corrían por el muelle, Calimano se movía como un gato y los incitaba a correr. La niebla se estaba levantando en el río, vieron titilar una boya del canal. "Solos", pensó Andrés. "No es posible que seamos los únicos ——" Pero no lo pensaba como increíble, era sólo su razonar que no se convencía.

—Ahí empieza el agua —dijo Calimano, y les señaló una franja como de chocolate—. Menos mal que me la palpité y puse el bote en la punta. Más de cuatro se van a quedar colgados esta noche. —Inclinándose en la barandilla, rezongó en voz baja. Andrés miraba también, con un repentino miedo de que —— Pero Juan y Clara estaban como ajenos, parados en el medio del muelle, mirándose.

—Mosca perruna —dijo Juan dulcemente.

Andrés se les acercó.

—Hay que bajar por esa escalera —dijo, y les tendió las dos manos—. Chau, bichos. Calimano está esperando.

—¿Y vos? —dijo Clara, casi con el tono (pero esto lo pensó Andrés, si es que lo pensó) con que se dice: "Pero no, no se vaya tan temprano". Y es sincero pero no necesario, no es lo que a veces se quisiera oír.

—Bueno, yo me vuelvo a buscar a Stella —dijo Andrés—. El viaje está pago, Juan. No le des más plata.

—Gracias —dijo Juan, que le apretaba la mano hasta hacerle doler—. Nada que yo pueda decirte ——

—No, nada. Váyanse.

—Es increíble que vos te quedes —murmuró Juan—. *¿Por qué nosotros?*

—En realidad yo también me voy —dijo Andrés, sonriendo—. Pequeña diferencia de horas. No te aflijas, y llevate a Clara. Vamos, ahí está la escalera.

Juan hizo un gesto. Después metió la mano en el bolsillo y sacó un cuaderno arrugado.

—Son cosas que escribí estos días —dijo—. Mejor guardámelo.

—Claro —dijo Andrés—. Y ahora apuráte.

—Andrés —dijo Clara.

—Sí, Clara.

—Gracias.

—De nada —dijo Andrés deliberadamente. "Gracias", tan fácil y absolvente. Dale las gracias y quedás en paz. Viéndola poner el pie, tanteando en el primer peldaño, se preguntó con una crueldad deliberada si Abel no la buscaría por algún otro "Gracias". Tan injusto, tan estúpido. "Acabo de malograr su última imagen", pensó, ya solo en el muelle. Oía hablar, abajo, un chapoteo de remos. La voz de Juan le gritó algo. Pero en vez de inclinarse sobre la barandilla dio la vuelta y se puso a desandar camino, mirando de frente la cortina roja de niebla que parecía hervir en el fondo.

A la altura del puente giratorio vio un perro negro y flaco. Se acercó a acariciarlo, y el animal se hizo a un lado mostrándole los dientes. La placita del chocolate estaba ahí, redondel negro en el gris azulado de los adoquines. Andrés se fue hacia la plaza, antes de entrar encendió un cigarrillo y miró si el perro andaba todavía por ahí. Curioso el gran silencio de la placita, el fragor lejano de la ciudad lo ahondaba todavía más. "Juan tenía razón", pensó mientras sacaba la pistola, "esto no existe ya, queda solamente el recuerdo que guarda Clara". Cuando estuvo en el centro, andando despacio, y vio la silueta pegada a un tronco, pensó que también ella formaba parte del recuerdo de Clara.

—Salud —dijo Abel—. A buena hora te encuentro.

—Qué le vas a hacer —dijo Andrés—. Uno no puede saber que lo andan buscando.

—No era a vos —dijo Abel—. Lo sabés muy bien.

—Lo mismo da.

—Pero vos sos el que los ayudó a irse.

—Si te parece —dijo Andrés, fumando.
—Sí, vos, hijo de mil putas.
—Con una basta —dijo Andrés—. No amplifiques.
Vio el movimiento de Abel, lo sintió que se le venía encima. Bajó el seguro de la pistola y la levantó. "Desde aquí miraba los barcos", alcanzó a pensar y lo demás fue silencio, tan enorme que lo golpeó como un estallido.

VIII

Stella verificó que el cronista dormía a gusto, y luego de acomodarle la cabeza para que estuviera cómodo, salió del bar con la alegría de moverse después de un largo entumecimiento. En Leandro Alem compró *El Mundo* que empezaban a vocear, y esperó el 99 que venía ya bajando Viamonte. Bien instalada junto a la venanilla, dio toda la vuelta por el centro sin mirar la calle porque estaba interesada en la lectura del diario; recién cuando el 99 se puso a traquetear más allá de Pueyrredón, la ganó el sueño y descansó un rato, con la cara apoyada en la ventanilla. El tranvía iba casi lleno, y el murmullo la ayudaba a dormir.

Caminó vivamente la cuadra y media que le quedaba, pensando en el café que se iba a preparar en seguida. Lo bebió en la cama, preguntándose si Andrés llegaría a tiempo para dormir unas horas. Tuvo el tiempo justo de poner la taza en la mesa de luz, y el cansancio se la llevó como un vientecito.

Eran las diez pasadas cuando despertó, la cama llena de sol. La pieza estaba hermosísima con toda esa luz. Era realmente como un cuadrito, una pintura. Qué amor.

Stella se levantó reposada y contenta. Andrés llegaría directamente a almorzar, y a perderse después entre sus papeles y sus libros.

Bueno, un puchero no estaría nada mal. Afuera charlaban las vecinas. Sobre la mesa había quedado una hoja escrita, de esas cosas que escribía Andrés y que era necesario guardarle en el cajón del escritorio.

Stella cambió el agua del canario y le puso alpiste. Había encendido la radio y escuchaba un bolero muy hermoso, con letra apasionada, de los que no le gustaban a Andrés. Pero ya habría tiempo de apagar la radio cuando viniera Andrés.

21 de septiembre de 1950

Esta edición de 3000 ejemplares
se terminó de imprimir en
Industria Gráfica del Libro,
Warnes 2383, Buenos Aires,
en el mes de diciembre de 1989.